JN070181

一生使える
スキル！

東大勉強力

大人もこの方法で
結果が出せる

東京大学卒 明治大学教授
齋藤孝

興陽館

正しい勉強法を
実践すれば
どんな難しい試験にも
合格できる！

勉強には
やり方がある！

「東大勉強力」が
身につくノウハウを
OB・齋藤孝が伝授します

「東大生はどんな勉強をしているんだろう」

「東大に合格するくらいだから、相当すごい勉強をしているに違いない」

そんなふうに多くの人が何となく、漠然と、東大生の勉強は自分たち常人にはマネできない、はるかに上をいくものだと思いこんでいるのではないでしょうか。

いやいや、それはない。はっきり言って、**「東大に合格するくらいの勉強力を身につけるのは、そう難しいことではない」**というのが真実です。

それは、東大生OBの勉強法をたくさん見聞きし、また身をもって東大受験を体験し、さらには「東大勉強法」を実践してきた私が、実感していることです。

つまり「東大勉強法」は、誰にでもマネできるものなのです。ただし押さえるべきポイントは、いくつかあります。

その最重要ポイントは、「段取り力」——。

私を含めて友人の東大生たちはみんな、それぞれの目標設定の下で段取りよく勉強して、必要な知識をどんどん身につけていきました。そして社会に出た彼らは、難関とされている国家試験や検定試験、昇進試験などを軽々とクリア。目標を達成しました。

　それはまさに「段取り力の賜」と言えます。

　また「段取り力」は、仕事の場でも威力を発揮します。さまざまなプロジェクトやタスクを確実にこなして成果をあげるには、どうしたって「段取り力」が求められるからです。

　別の言い方をすれば、「段取り力」があって初めて、活躍の場が広がる、ということです。

　ほかにも東大生は現役・OBともども、「集中力をアップする」とか、「記憶力を増強する」といったことに長けています。

　自分でいろいろ工夫してつくりあげたノウハウのようなものを持っているのです。それについても詳しくお伝えします。

　さらに「教養」の観点からも、「東大勉強法」は推奨できるものです。おそらく社会人経験を積むなかで、多くの人が「がむしゃらに働くだけの毎日に、仕事とは関係のない部分でむなしさを覚えている」のではないでしょうか。

「仕事以外のことは何も知らないし、教養と呼べるものはかけらもない。もっと内面を豊かにしていかないと、いい老い方ができないような気がする。年齢なりの人格・風格が身につかないかもしれない。少しずつ、教養が身につく勉強をしなくちゃね」

そんな思いがふと湧いてきたとしたら、それもまたすばらしい勉強欲！

そういった要望にもお応えできるよう、教養が身につき、教養の幅が広がる「東大勉強法」も伝授しましょう。

いずれにせよ「東大勉強法」は、試験勉強から仕事の知識＆スキルアップのための勉強・教養を広げる勉強まで、すべての勉強に通じるノウハウ。「一生使えるスキル」と言えます。

本書では、この、

「東大勉強法」

をキーワードに、効率的で具体的な勉強法を紹介していきます。

私自身の東大受験はもとより、多くの東大生の友人との交流や、さまざまな試験の指導などを行ってきた、その経験知をもとに、より実践的な内容になるよう心がけました。

具体的には、「どんな試験も突破できる勉強法」「忘れない勉強法」「教養の幅を広げる勉強法」を3本柱にして展開しま

す。実践しやすいよう、随所に「いますぐやってみよう!」を設けましたので、トライしてみてください。

　本書はどこから読んでもけっこう。「この勉強力が欲しいんだよ」「この勉強法は自分に向いてそうだな」などと好奇心が動いたところから、読んでいただければよいかと思います。

目の前の試験を突破したいとき
頭がよくなりたいとき
大人の教養を身につけたいとき

　みなさんのなかに芽生えた勉強欲を刺激し、より実りある豊かな人生を生きることにつながるお手伝いができれば、これほどうれしいことはありません。

　最後に明言しておきましょう、勉強って本当に楽しいものですよ。

齋藤　孝

CONTENTS --

PART I | 勉強は「目標設定」と
「段取り」だ!

PART
III
教養が身につき、教養の幅が広がる「東大勉強法」

勉強は
「目標設定」と
「段取り」だ！

あらゆる試験を
突破できる
「東大勉強力」
を身につける

中学受験・高校受験・大学受験・大学院受験……。

私は受験勉強を4度、経験しました。

ある意味、受験のスペシャリストです。

でも正直、昔は「受験勉強ってムダじゃない?」と思っていました。

暗記力が試されるだけで、

せっかく記憶した知識も忘れちゃうのでは意味がないからです。

けれどもいまは、確信しています、

「受験勉強で身につくものは、たくさんある」と。

それは追々述べていくとして、

本項ではまず、資格や検定、昇進試験などに挑む人のために、

どんな試験も突破できる「東大勉強力」について、

4つの観点から述べていきましょう。

① 勉強する段取りを決める

② 合格のキーワードは「傾向と対策」

③ 「絶対合格!」という強い気持ちを持つ

④ 試験当日は焦ったら負け

01 勉強する 段取りを決める

「目標を設定し、そこから逆算して課題をこなす」

その段取りを決めるのが、試験勉強の第一歩です。

それは学校の入学試験でも、資格試験でも、検定試験でも、さらには昇進試験でも同じこと。「試験」と名のつくものにはすべて、

「合格を勝ち取るために、どんな知識・技能をどのくらいの期間でマスターするか、という"演習メニュー"を自分で組み立てる」

能力が求められるのです。

言うなれば **「段取り力」**──。

自分が決めた段取り通りに課題をこなすことを積み重ねていくプロセスを抜きにして、「合格」という結果は出ないと言っても過言ではありません。

私は10代から20代の10数年間に4回もこれを繰り返して、ちょっと疲れてしまった部分があります。でも一方で、

「受験勉強のおかげで、なんだかんだ、仕事をするうえで必要な能力が自然と養われたなぁ」

という思いもあります。

仕事をスムーズに進めるために不可欠な「段取り力」がつ

いたことはもちろん、ほかにもたとえば、

- 期限を決めて演習メニューをこなしたおかげで、仕事で守るべき一番大切なルール──**「締め切りを守る」**ことが当たり前に実践できるようになった。
- 勉強から逃げ出さずにがんばったおかげで、何事に対しても中途で投げ出さない**「粘り強さ」**が身についた。
- 勉強をサボることを自分に許さず取り組むことで、**「メンタルの強化」**が図れた。
- 「受かるか、落ちるか」の緊張感のなかにいたおかげで、仕事でも結果を出すことに対する**「勝負根性」**みたいなものが備わった。
- 合格という結果を出せたことで、**「集中力をきかせて、最後のゴールをクリアする」**ことが習性のようになった。

など、受験によって磨かれる能力は、意外とたくさんあります。

たとえ試験に失敗したとしても、受験勉強に真剣に、まじめに取り組んだことで、知らず知らずのうちに、こういうさまざまな能力が育っています。それらの能力は、仕事をはじめ人生全般に有形無形に生かされるはずです。

さて、「目標をつくって段取りを決める」とは、どうすればよいのか。ポイントがふたつあります。ひとつは、
「目標は3段階でつくる」こと。
「ホップ・ステップ・ジャンプ」とか「ビギナーコース・アドバンストコース・マスターコース」といった感じで、だいたい3段階で目標を

つくって勉強することをおすすめします。たとえば語学の勉強なら、

「最初に文法書、次の段階でやさしい物語、さらに次の段階で少し難しいものを読む」とか、

「最初に発音のトレーニングをやり、次に文法をマスターし、最後に短い物語のＣＤをシャドウイング、つまり外国語を耳で聞き、そのまま外国語で話す練習をする」といった具合。

　期間は1週間でも1カ月、2カ月でもＯＫ。「合格」という大きな目標を達成するには、どのくらいでどんなふうに能力をステップアップさせればいいかを考えて設定するといいでしょう。

　もうひとつのポイントは、

「『○○月間』などと銘打って、1カ月でひとつの能力を徹底的に鍛え上げ、さまざまな能力を順次強化していく」こと。

　たとえば宅地建物取引士（宅建）試験を受けるなら、月ごとに「宅建業法月間」「借地借家法月間」「不動産登記法月間」「建築基準法月間」などとテーマを決めて、集中的に勉強するのです。

　試験に応じて、記憶するべきことはいろいろありますよね？

　それらを項目化し、課題として抽出。試験までの期間内に全部をクリアできるように段取るのがいいかと思います。

　一番のメリットは、「○○月間」と銘打った瞬間に、自ずと"期間限定意識"が働き、「いまがんばらずに、いつがんばるんだ」と気分が大いに盛り上がることです。

　私自身はこの「○○月間方式」が気に入っています。受験がなくなったいまでも、勉強法のひとつとして、好きで取り入れ

ているくらいです。

たとえば「英語の語彙をひたすら増やす1カ月間」と銘打って、アメリカのドラマや映画を見たり、英語の本を読んだりしながら、わからない単語をピックアップしては、どんどん覚えていくのです。

学生時代はテストのために「英語の語彙を3000から一気に1万語に増やすぞ!」とやっていました。筋トレのように確実に向上している「向上感」もあり、一定の成果は得られたと思います。

いまはテストとは関係なく、「語彙が増えれば増えるほど、読める本が増えるし、海外の映画やドラマを字幕スーパーなしでも楽しめるようになる。それがおもしろい」という感じ。つまり語彙力の増えること自体が、おもしろくなってくるのです。勉強がある種、自己目的化するのでしょう。

みなさんもぜひ、試験を受ける・受けないに関係なく、勉強法のひとつにとりいれてみてはいかがでしょうか。

いますぐやってみよう!

「ホップ・ステップ・ジャンプ方式」または「○○月間方式」のどちらかを活用して、テスト勉強のこれからの段取りを決めよう。

02 合格のキーワードは「傾向と対策」

　私が高校生のころ、大学受験生の大多数が持っている学習参考書がありました。

　その名は『傾向と対策』。1949年に旺文社から刊行され、1990年代まで約40年に渡って、いまも刊行され続けている通称「赤本」（大学・学部別の大学入試シリーズ、教学社）と並んで、大変な人気を博しました。

　これは文字通り、大学入試の内容を分析し、その傾向と対策を教科ごとに解説したもの。内容もさることながら、書名が秀逸！　究極のタイトルと言っていい。**試験勉強の本質はまさに、この「傾向と対策」にある**のです。

　大人になってから挑戦する各種試験だって同じ。出題される問題の傾向を見て、対策を立てる、これに尽きます。予備校や参考書がどんなふうに分析しているかを調べることを含めて、自力で「傾向と対策」を練ることが重要です。

　私はこれまで、さまざまな試験に挑む学生たちの指導をしてきました。たとえば中学生に、卒業までに「英検（実用英語技能検定）準一級」を取得するための勉強を教えたこともあります。学校の勉強とは別に英語の本を読むなど、少しレベルの高いことをやる、という形で。

また医学部や司法試験に挑戦する学生さんに、勉強法を指導して合格に導く、といったこともやりました。

　結果、わかったのは、孫子の言葉を借りて言うなら、

「彼を知り己を知れば百戦殆（あや）うからず」──。

　どんな試験問題なのかを徹底的に分析し、その傾向に合わせた勉強をすれば、受からない試験はない、ということです。

　たとえば司法試験。2011（平成23）年で新旧司法試験の併行実施が終了し、完全に新司法試験に移行しました。そのタイミングで受験指導をして思ったのは、「試験が変わった以上、昔と同じような勉強をしていたら、何年経っても受からない」ということです。

　ざっくり言うと、新司法試験では「弁護士と依頼人等の会話から論点を引き出して、ポイントごとに法律を当てはめながら論述する」ケーススタディ風の問題が増えています。

　それなのにぼんやりした総論とか、法律の知識だけを何となく書いてしまうと、自分ではいい解答が書けたつもりでも、まったく点が取れません。法律の知識があっても問題が解けない、ということが起こりうるのです。

　そうならないようにするには、会話文のようなふんわりしたケースから、具体的な法律のポイントを抜き出す勉強をする必要があります。加えて、ポイントごとにどんな配点がされるのかも調べて準備しておくと、なおいいですよね。

　司法試験に限らず、「試験の出題傾向が変われば、勉強方法も変わる」のは当たり前。単に知識を詰め込むだけでは、試験に勝つことはできないのです。

03 | 「絶 対 合 格!」という 強 い 気 持 ち を 持 つ

　言うまでもなく、受験勉強をする目的は「受かる」ことにあります。トップの点数を取る必要はありません。ですから勉強するときの気構えとしては、

「何としてでも受かる!」

　という強い気持ちを持つことが重要です。

　たとえ勉強の成果が目に見えて上がらなくても、「受からないかも」なんて弱気になってはダメです。

「何も最高得点でなくてもいい。ギリギリの点数だろうと、受かればいいんだから」

　くらいに構えていればいいのです。

　大学時代を思い出してみてください。

「この試験で及第点を取らなければ、単位を落とす」

　となれば、必死に勉強しましたよね?

　試験の1日、2日前になって急に焦って、自分でも信じられないくらいの集中力が出て、奇跡的にクリアできた、なんて経験のある人もいるでしょう。

　医学部のカリキュラムのように、全科目が必修で「1科目でも落としたら留年」というくらい厳しい状況にあれば、なおさら“必死度”は高くなるはずです。

「精神論で試験を乗り切れ」とは言いませんが、やはり強い気持ちを持つことは大切です。

　十分に勉強しようが、多少勉強不足であろうが、最終的には、「何としても受かる！」という強い気持ちがあるか、ないかが、合否を分ける部分が大きいのです。

　『スラムダンク』の安西先生に、こんな名言があります。

「最後まで…希望を捨てちゃいかん。
**　あきらめたらそこで、試合終了だよ」**

　試験に合格するためには、自分が決めた段取り通りに勉強を進めることは当然として、それと同じくらい「合格をあきらめない」強い気持ちを持つことも大切なのです。

04 | 試験当日は 焦ったら負け

　スポーツではよく「あの選手は本番に弱い」というような言い方をします。体操競技とかフィギュアスケートなどで言うなら、練習のときは難易度の高い技をバンバン決めるのに、試合になると転倒したり、技を繰り出す前にビビッたり。そんなタイプの選手です。

　原因はひとことで言えば「メンタルが弱い」こと。緊張しすぎる余り、頭が正常に働かなくなる部分が大きいでしょう。スポーツでは、そうならないように「何も考えずとも、体が自然に動く」くらいまで練習する、あるいは「どんな場面でも心が動揺しなくなる」メンタルトレーニングをしっかり積むことが重視されています。

　翻って、試験はどうでしょう？

　試験当日には、スポーツ選手と同じことが起こりえます。十分すぎるくらい勉強をしたのに、本番の試験になると点数が取れない、というようなことが。「本番に弱い」と言われる人です。

　そうなる原因はやはり「メンタルが弱い」ことですが、その結果生じる現象に試験特有のものがあります。それは、

「時間配分を間違える」 こと。

　たとえば問題が配られた瞬間、その膨大な量に圧倒される、というケースがあります。そうなると「速く解答しなくては」と焦

る余り、ろくすっぽ問題文も読まず、考えもせず、当てずっぽうの答えを書きまくり、結果、自滅することが起こります。

　また最初に、難しい問題にぶち当たった場合。明らかに解けない問題に、ウンウンと長時間考え続けてしまうと、ほかの易しい問題を解く時間がなくなります。結果、点数が稼げず、撃沈されます。

　ほかにも「易しいと思った問題に意外とてこずり、配点の高い問題を解く時間がなくなった」といったこともあるでしょう。

　そんなふうに時間配分を間違えないためには、何よりも「速く解く」訓練をしておくことが必要です。言い換えれば、

「迷わずに、機械的に解ける問題を増やしておく」こと。

　たとえば英語なら、文法問題や単語・熟語等の語彙力を問う問題などは、"瞬殺"する勢いで解くトレーニングをするのです。

　そのうえで、当日は次の心構えをもって試験に臨んでください。

・最初のほうの問題は、配点が比較的低い、基礎的な知識を問うものが多い。5秒考えてわからなければ、すぐに見切りをつけ、タッタッタとスピーディにこなす
・長文読解を要するのは、だいたい配点の高い問題。ここにいち早くたどり着き、じっくり考えて解く

　とにかく試験は時間配分が勝負。落ち着いて、易しい問題を"瞬殺"しながら、いくら考えてもわかりそうもない問題はどんどん飛ばし、**配点の高い問題に時間を使う**ことがポイントです。模擬試験なども利用して「本番に強い勉強力」を磨きましょう。

定番の
問題集を
5、6周
繰り返し解く

試験を突破できるか否かは、

問題集に依るところ大です。

結論を先に言えば、

「着実に力がつくいい問題集を選び、繰り返し解く」、

それが最強の勉強法です。

「何冊もの問題集を解いたほうがいいのでは?」

と思うかもしれませんが、それは大きな間違い。

完全に「理解した」「わかった」と確信できるところまで

知識を自分のものにするには、

同じ問題集を繰り返すのがベストなのです。

それは「東大生OBの常識」とも言える勉強法。

4つのノウハウを紹介しましょう。

①過去問は最重要

②とりあえず1冊を完走する

③問題集5、6周で完璧にする

④3つの観点で問題集を選ぶ

05 | 過去問は最重要

　試験勉強に使う問題集のなかでも、一番重要なのはいわゆる「過去問」。過去に試験に出た問題を集めたものです。

　その「過去問」＋「過去問に類似する問題集」＋「参考書」というのが、試験勉強の基本装備になります。

　では「過去問」は、どんなふうに活用すればよいでしょうか。

　よく「試験直前に過去問を解くことによって、腕試しをする」という人がいますが、それは本末転倒というものです。なぜなら過去問を活用する一番の目的は、

　「どの程度のレベルの知識が必要とされているのか。その知識を使って、何ができればいいのか」

　を知ることだからです。

　それぞれの試験が設定している「知識水準」がわかれば、そのレベルに応じた知識を習得するのみ。闇雲に大量の知識を仕入れようとしたり、非常に難しい問題を解けるレベルの高さを求めたりする必要はありません。

　求められているものを知り準備する。だから効率的に勉強するためには、その第一歩として、過去問が最適・最重要なのです。

このように**過去問は、勉強方法を教えてくれる**もの。解けるか
どうかは二の次でOKです。極端な話、勉強を始める時点では
1問も解けなくたって、何の問題もありません。
　受けようと思う学校・資格・検定の過去問をとにかく繰り返
しやってみて、「ここにある問題が出たら、絶対に答えられる。
正解が出せる」というふうにしておきましょう。

　それがなぜ必要かと言うと、過去問と非常によく似た問題が
出る場合が多々あるからです。受験する者としては、
「問題をつくった人は何考えてるの？　何年か前に出た問題と
ほとんど同じなんだけど」
　と驚くくらいですが、作成者は決して手を抜いているわけでは
ありません。同じ人間がやることですから。そういうラッキーに当
たったら、「過去問をやっておいてよかったなぁ」と素直に喜
んでください。
　また基礎的な知識は、どうしても問わなければいけないもの
なので、同じ問題を出さざるをえない、という事情もあります。
　逆に言えば、「毎年のように出る問題があるからこそ、過去問
をやる意味がある」ということです。

いますぐやってみよう！

　メジャーどころなら、過去問は必ず出版されています。さっそく本
屋さんに走り、あるいはネット書店にアクセスし、**目指す学校・資
格・検定の過去問を手に入れ**ましょう。

06 | とりあえず 1 冊を 完走する

　過去問を手に入れたら、すぐに一通り、問題を解いてみましょう。何も深く考えることはありません。解けない問題がいっぱいあっても、落ちこむこともありません。他人事のように、「ふーん、こんなものか」と受け止めるだけで十分。気持ちが落ち着きます。

　1冊・全問を早めに1周しておくと、こんなものかと気楽に試験勉強に挑めるようになるのです。

　これは何も、過去問に限ったことではありません。すべての問題集について同じことが言えます。

「深く考えずに、とりあえず1冊・全問を1周する」

　ことが、合格を呼び寄せる鉄則なのです。

　とはいえ「それが難しいんだよね。いままでだって、何冊も問題集をやったけど、最後まで行き着いた試しがないもん」と言う人も少なくないでしょう。

　でも大丈夫。エネルギー配分さえ間違えなければ、誰だって完走できます。最大のコツは、

「わからない問題にエネルギーをかけすぎない」 ことです。

　とくにまだ勉強を始めたばかりで、過去問にしろ、問題集にしろ、1周目なのですから、「考えれば答えが出る」問題はほとんどないはず。自分では考えているつもりでも、たいていは何も考

えていないのです。

だから「考える」という行為を信用し過ぎてはダメ。考えること自体が、時間のムダづかいになることも多い。

試験勉強というのは、学校の授業で勉強するのと根本が違います。

授業はできるだけ深く考えることが大事。難しい問題に対して、教室のみんなが多角的視点から意見を述べ合います。

「こういう考え方もあるんじゃない?」

「それもアリかもしれないけど、こうは考えられないかな」

「うーむ……自分はこういう視点で見るのがいいと思う」

というふうに、議論をしながら、問題を深く掘り下げていくスタイルが主流です。

一方、試験勉強はまったく性質が異なります。ゴールは「試験に受かる」ことなので、深く考えることにあまり意味はないのです。

過去問をはじめとする問題集に取り組むときに、問題にいちいちひっかかっていては、自分の"勉強エネルギー"は消耗する一方。とてもじゃないけど、最後の問題に到達できません。

一生懸命考えれば考えるほど、こなす問題の数も種類も減るので、「勉強不足」に陥るという皮肉な事態を招くこともありうるのです。

私はここがわかっていなくて、失敗したことがあります。

それは大学受験のときのこと。一番得意な科目だった国語で点数が伸びない、というジレンマに陥ったのです。

なぜか。私は、課題文の字面を追って意味を理解するだけでは飽き足らず、作者がもっと奥深くに込めた意味や思いを探りながら、自分の意見を書こうとしたからです。何を勘違いしたか、
「課題文の作者である漱石とかの思想家と対決して、彼らの上をいく独創的な解答を書くぞ！」
　と気負ってしまったのです。
　もとより大学受験の国語の試験では、独創性など求められません。出題者が望む答えを、課題文のなかの言葉をうまく引用しながら、ほどほどにまとめると点数が出る。そういうものです。失敗して初めてわかりました。

　ついでに白状すると、私は英語でも同じような失敗をしています。英語の受験を始めるときに、私は、
「思想家の本を英語で読めるレベルまで仕上げる」
　という目標を立てたのですが、トゥーマッチでした。
　受験英語はそこまでのレベルを要求していなかったのに、私はどんどんはまりこんだのでした。
　結果、エネルギーの配分を間違えました。ほかの教科の勉強が手薄になってしまったのです。その点、友人は賢明でした。
「得意な教科はすでにある程度の点数が取れるんだから、苦手な教科にエネルギーを振り分ける」
　合理的に判断し、上手に受験を乗り切ったのでした。
　試験においては、**探究心や研究心はときとして邪念になり、やりすぎてしまう**、ということです。
　もちろん趣味のように試験科目にはまり、結果、合格する場

合もありますが、それは稀なケース。試験は通ることが目的なので、深みにはまらずに、適切なエネルギー配分をすることが先決です。

少々話がそれました。問題集を1周するときにはひとつ、コツのようなものがあります。それは、問題ひとつひとつに対して、

「5秒ほど考えてわからなければ、すぐに解答を見る」

というようにして、どんどん読み進めていくことです。

すぐに答えを見ることに後ろめたさを感じる必要はありません。最初の1周はとくに、目的は「問題を解く」ことではなく、「問題の解き方を学ぶ」ことにあるので、解くことよりもむしろ解答の解説を読みこむことのほうが大事なのです。

この方式なら、比較的短時間で1周できます。1問も解けなかったとしても、「問題集を1冊制覇した」という達成感が得られます。

こうして一度、1冊・全問を経験しておくと、2周目以降がとてもラクになります。

いますぐやってみよう!

手に入れた過去問を、何も考えずに、わからないときは躊躇せずに解答を参照しながら、どんどん読み進めましょう。もちろん目標は、"1冊完走"です。

07 問題集５、６周で完璧にする

　過去問と、「これ」と決めた1冊の問題集は、いずれも通しで繰り返し解くのがベスト。知識はもちろんのこと、問題のパターンに応じた解法が完璧に記憶に定着するからです。

　これは、典型的な「東大勉強法」でもあります。

　1周目で解答の解説をしっかり読んで理解したら、2周目に入ります。その際、1週目で解けた問題は省いてもけっこう。事前の準備なく解けちゃったわけですから、何度もやる必要はありません。「×」印をつけておくなどして、スルーしましょう。

　ですから2周目は、できなかった問題だけにトライします。同様に、3周目は2周目もできなかった問題、4周目は3周してもできなかった問題……というふうにして、進めていきます。

「2周目以降は、すでに解答と解説を読んでいるんだから、できるんじゃないの？」

　と思うかもしれません。

　でも案外、忘れてしまうものです。記憶が新しいうちは、まぁまぁ覚えていますが、数日するとあやしくなります。

　そこで記憶をチェックするために、**「1周したら2週間ほど寝かせておく」**、それがポイントです。

　人の記憶力は「問題集1冊分の知識の記憶を1回で2週間

維持できる」ほど優れてはいないので。

　3周目、4週目、5周目と、1冊を最初から繰り返すときは、常に「2週間寝かせる」ようにしてください。

　こうして進めていくと、たいていの場合、1冊に要する時間は格段に短くなります。5周目には5分の1くらいになるでしょう。

　イメージ的には、400mのトラックを5周するのと逆。トラックを走るときは5周目が一番苦しいけれど、問題集の場合は1周終わるごとにトラックが400mから300m、200mと、どんどん小さくなっていく感じです。

　「5、6周」と聞くと、「ひぇ〜！」と思うかもしれませんが、やってみると意外と楽ちんです。

　それに「5、6周で問題集1冊分の知識が完璧に身につく」と思えば、2周目、3周目で「また忘れた」となっても気がラク。「これからだ」と前を向いて、元気いっぱいで仕切り直すこともできます。

5周でも大丈夫！

いますぐやってみよう！

　過去問ならびに1冊の問題集をそれぞれ、2週間のインターバルを設けながら、5、6周してください。最終的には、問題を見て「えーと」と考える時間がほぼゼロになるまでに仕上げましょう。

08 3つの観点で 問題集を選ぶ

　学校・資格・検定試験に備える問題集は、ネット書店も含めて書店にあふれ返っています。

「さて、どの問題集を選ぼうか」

　と迷うところですが、言うまでもなく、「どれを選んでも同じ」なんてことはありません。

　問題集選びを間違えると、合格が遠のいてしまうかも。そうならないように、問題集選びの3つの観点をお伝えしましょう。

その1　合格体験記からおすすめの問題集を知る

　予備校や専門学校などの宣伝パンフレットに、よく学校・資格・検定試験に通った人たちの「合格体験記」のようなものが掲載されていますよね？

　あれは、バカにできません。とりわけ「どんな問題集・参考書を使ったか」は、チェックするべき要素です。

　だいたい合格者は「いいかっこをしたい」ので、1日の勉強時間については当てになりません。相当時間勉強していても、「短時間の勉強で合格した。地頭がいいんだよ」とアピールしたいのか、少なめに申告することが多いのです。

　しかし問題集・参考書に関しては、本当のことを教えてくれます。その人にとって勉強効果が高いことはたしかでしょう。

ただ数人の情報収集では足りません。できるだけたくさんの人の「合格体験記」を問題集・参考書にフォーカスして読み、多くの人に支持されているものを選ぶことをおすすめします。

　そういう「定評のある問題集・参考書」を「この1冊」と決め、前項の方法で5、6周すればOKです。

　私自身もそうでしたが、回りの東大生の友だちも多くが、「あまり多くの問題集・参考書に手を出さず、1冊を丁寧に、何周すると決めて、繰り返しやる」というスタイルでした。

　言ってみれば **「これだけ勉強法」**──。

　ダイエット法みたいなもので、「この問題集1冊で試験に受かる」というようなものです。

　試しに、久しぶりに数学の問題に挑戦しようかと、東大の合格体験記をチェックしました。定評のある問題集は「こんな簡単なレベルでいいの?」と疑いたくなるようなもの。私が大学受験生の時代は、問題集に難しさ・レベルの高さを求める傾向がありましたが、いまは違うようです。

　でも実際、その問題集だけでけっこうな基礎点が稼げることがわかりました。つまり各教科をまんべんなく、定評のある問題集を繰り返しやればOK。総合点で必ず、受験をクリアするのに必要な点数が叩きだせるわけです。

　東大を受験するとか、難しい資格試験・検定試験に挑戦すると言うと、とんでもなく難しい問題に取り組んでいるようですが、実はそうでもない。合格者は「まぁまぁ手の届く、そんなに難しくはない問題集を確実に自分のものにした人たちの集団」と

いうことです。

その2　薄いものを選ぶ

　問題集はとにかく、最初に1周を"完走"することが大事なので、分厚いものは避けたほうが無難です。

「やっても、やっても終らない」みたいな感覚に陥ると、「もう、やめた」と1割もいかないうちに放り出してしまうことは目に見えていますからね。それで「これでもない、あれでもない」とはねていくと、本棚がにぎやかになるだけ。"問題集難民"になってしまいかねません。

　ですから最初はとくに、薄めのものを選ぶようにしてください。問題集の厚さと内容の充実度は、必ずしも比例しないのです。

その3　解答の解説が充実している問題集を選ぶ

　問題集を使った試験勉強で大事なのは、問題を「解いて正解を出す」ことではありません。

　むしろ先に正解ありき。問題を解くためにどんな知識が必要とされているのか、どうやってその正解にたどり着くのか、などを理解することのほうがずっと大事なのです。

　となれば、解答の解説がわかりやすければわかりやすいほど、また内容が充実していればいるほど、理解の助けになりますよね。

「解説を読んでもいまひとつわかりにくい。理解できない」

　ような解説だと、わからないことがわからないままになってしまいます。

そういう問題集だと、何周繰り返しやっても知識が身につかないのは自明の理。"悪書"と言っていいでしょう。反対に、解説が充実していると、そこで説明されていることが、別のところでは問題として出されている場合もあります。解説書を媒介として、知識がどんどんつながっていくところもメリットです。

　そもそも解答の解説が理路整然と、わかりやすくコンパクトに書かれているものは、書いている人の頭がいいことの裏返し。読むだけで、内容がスルリと理解できます。

「問題集が参考書にもなる」

ものがベストチョイスです。

　以上、3つの観点から、間違いない問題集選びをしてください。

　ちなみに参考書は、あったほうがいい。ただ自分にはそう必要のない知識も含めて膨大に収蔵されていることが多いので、参考書を読むだけでは知識が身につきにくい部分があります。問題集を解きながら、ときどき参照するスタイルがいいでしょう。

勉強する環境を整えると効率がぐんとアップ！

予備校・図書館・自宅の勉強部屋・カフェ……。

試験勉強をする「場」はいろいろあります。

自分に合う「勉強空間」を見つけることが、

「勉強する環境」を整えること。

学習効率が上がるも下がるも、

その環境にかかっています。

試験を突破するためには、

どこで、どんなふうに勉強するのがよいのか。

3つ、提案しましょう。

①実績ある予備校に通う
②勉強部屋を予備校化する
③カフェを「勉強空間」にする

09 実績ある
予備校に通う

　大量に東大合格者を出している高校があります。2019年度
で言えば、開成高等学校、筑波大学附属駒場高等学校、麻布
高等学校がベスト3でした。

　こういう高校に通うと、東大合格への道はかなり近くなります。
なぜなら「東大に合格するためにどんな受験勉強をすればい
いか」、そのノウハウが豊富に、大量に蓄積されているからです。

　当然、受験指導をする先生も、受ける生徒たちも、入試に関
わるコミュニケーションのレベルが格段に高い。たとえば、

「この問題集は間違いないよね」
「本番ではスピード勝負。どの問題にどのくらいの時間をかけ
るか、スピードトレーニングをがんばらなくちゃね」
「文学ならこの作家、評論ならこの評論家がよく出る」
「配点の高い、こういう問題は要注意だよ」
「この塾の○○先生がいいよ」

　などなど、情報交換が盛ん。東大受験をするのは全校でひと
りだけ、なんて学校とは大違いです。

　親たちも含めて、東大合格率の高い有名な中高一貫校への
入学を望む人が多いのは、そこには受験に有利なノウハウが蓄

積されているからにほかなりません。

資格試験でも同じことが言えます。

たとえば公認会計士を目指す人の多くが、大原簿記学校のようなメジャーなところに通うのは、大量の合格者を出している、そのノウハウが学校に蓄積されているからです。

「大多数の人がこういう勉強を、こんなふうにがんばって、受かりました」

という現実があることで、安心して勉強に取り組めるのです。

そもそも**試験勉強**というのは、**「合格するためのノウハウを知ることがすべて」**と言ってもいいくらい。それを得るためにお金を払うわけです。

自分で身につけようとすると時間がかかるし、下手すると最後までノウハウを見出せずに終わることもありますからね。

しかも学校には、ライブの緊張感があります。先生が講義する、その場に身を置くことに意味があります。移動時間はムダと言えばムダですが、大勢の受講生たちが生で集中して勉強している空間にはそのムダを凌駕するメリットがあります。

予備校などの学校に通って勉強する人は、席が自由ならば、ぜひ一番前の特等席で先生の講義を聞いてください。司法試験に受かった人のなかには、「予備校の授業中にすべてを理解すると気合を入れて臨み、真剣に受講して受かった」という人もいます。

予備校での勉強時間は、自分の気合しだいで集中力が上がり、結果、学習効果がどんどん上がっていくものなのです。

10 勉強部屋を
予備校化する

　いまや世界最高峰の大学MIT（マサチューセッツ工科大学）の講義がタダで聞ける時代。3年ほど前に同大学が無料で修士課程の講座の一部（DEDP）をオンライン上で公開すると発表したときは度肝を抜かれました。と同時に、インターネットは勉強にかかるコストを極限まで下げる恐るべき道具だと再認識させられました。

　とくに英語はオンラインラーニングのプログラムが世界中にあふれているし、資格試験の勉強でも無料で使えるシステムがけっこう揃っているので、適宜利用するといいでしょう。

　それはそれとして、いくらタダでも、安かろう悪かろうの教材ではしょうがないですよね。多少高価であっても、やはり **「定評のある教材」** を選びたいところです。

　実際、知識量では最難関と言える医師国家試験を目指す人などは、大学の授業＋αとして、高価だけれども「プロの医師が講義をする、よくできていると評判のDVDやネットの教材」を購入・利用しているようです。「学習効果が高いことは、過去の受験生が証明している。大枚はたいても、試験に落ちるよりはマシ」ですからね。

どんな資格・検定試験でも、**試験勉強には"DVD的な講義"を取り入れたほうがいい**と、私は思っています。

　理由はおもに、以下の5つ。

　①予備校に通うことに比べると、通学時間がかからない。

　②先生をひとりじめし、マンツーマン感覚で受講できる。

　③再生スピードを自由に変えられる。

　④わかりにくいところを聞き直すことができる。

　⑤容易に"リピート学習"ができる。

　"DVD的な講義"を受講するというのは、自宅の勉強部屋を"予備校化"することにほかなりません。邪魔をされる要素も少なく、集中して勉強するための環境としては申し分ないでしょう。

　勉強方法のポイントは、「"DVD的な講義"を聞きながら、テキストに赤線やラインマーカーを引いて、まず1周する」こと。問題集と同様、2周、3周すると、なお効果的です。

　ただ聞いているだけでは、内容がなかなか頭に入ってこないので、テキストは必須アイテムです。逆にテキストだけだと、これも頭に入ってきづらい。**講義のライブ映像とテキストの両方が必要**だということです。

　イメージ的には、テキストに講義のライブ中継が貼り付いている、もしくは小説が演劇化・アニメ化されている感じです。「講義をする先生が非常に優秀で、知識を整理してわかりやすく伝える能力に長けている」ということを前提に、合格率がアップすると評判の"DVD的な講義"を受講することを検討してみてはいかがでしょうか。

11 | カフェを「勉強空間」にする

　大学を受験する高校生には、勉強時間がたっぷりあります。

　けれどもすでに社会人になって10年以上経つ大人は、勉強時間を確保すること自体が難しい。定年退職した方や、次のステップのために仕事を中断している方などは別にして。

　「大人の勉強」はつまり、勉強時間の確保が大きな課題なのです。

　「仕事でへとへとになって帰ってきて、さぁ勉強なんてファイトはわいてこないよ」

　「朝早く起きて勉強する、という手もあるけど、自分にはムリ」

　「休みの日なら、まとまった勉強時間を取れるけど、ついだらだらと過ごしてしまう」

　そういった"事情"から、せっかく学校・資格・検定試験に挑戦する気になったのに、すぐに意欲が萎えて挫折してしまう人のなんと多いことか。

　「もっと強い意志を持ってくださいよ」と言いたいところですが、私からひとつ提案があります。それは、

　「大人の勉強の主戦場をカフェに求める」

　ということです。何を隠そう、私は"カフェ派"です。

　多くの人がカフェを「息抜きの場所」と考えているかもしれませんが、ほっとひと息つくのは束の間で十分でしょ?

現に、カフェに集う人たちを見ていると、30分とか1時間、何もせずにまったりと過ごすのは少数派でしょう。休憩って、何もしないでいると飽きるものなんです。だからみなさん、スマホをいじったり、PCで仕事をしたり、本を読んだりして過ごすのです。

　そういう時間を勉強にあてましょう、というのが私の提案です。カフェは騒々しいようでいて、実は意外と簡単に「**ひとりの時間**」に入りこめます。

　しかも集中力を、いい具合に起動できます。というのも長居しすぎると迷惑なので、"滞在時間"はせいぜい1時間。そんな時間制限がある分、必死になれるのです。間違いなく、勉強が進みます。

　もちろん「1時間じゃあ足りない。もうちょっと時間がある」場合は、コーヒーのおかわりをしてもいいし、河岸を変えて"カフェはしご"をしてもいい。

　いまは200円くらいでコーヒーが飲めるカフェチェーン店網が充実しているので、さほどコストもかからず「勉強空間」を確保できるでしょう。出社前とか移動中、仕事帰りや休日など、少しでも時間があいたらカフェで勉強、というのが「大人の勉強法」というものです。

　ただしマックのようなファストフード店は、勉強空間には向きません。私は以前、ほかにカフェが見当たらず、マックに入ったところ、女子高生の話がおもしろすぎて、勉強に集中できませんでした。それもまた、「お金を払って聞く価値のある話」ではあったのですが。

勉強には
ペースメーカー
が必要

勉強はひとりでするもの……ではありますが、

周囲のすべてを遮断（しゃだん）するのは得策ではありません。

マラソンレースでは、ランナーに伴走者がつきますよね？

あれは、目標通りのタイムでゴールインすることを目指して、

併走（へいそう）してペースをコントロールしてもらうためです。

テスト勉強も同じ。ひとりで黙々と勉強するだけではなく、

ともに走って、ゴールにリードしてくれる存在が必要です。

試験勉強に際しては、ぜひペースメーカーを見つけましょう。

そして方向性が間違っていないか、

順調にレベルアップしているか、

勉強時間は十分かなど、

さまざまな観点からチェックし合うようにしてください。

合格までの道を、最短距離と最短時間で走ろうではありませんか。

①勉強友だちを持つ
②合格経験者を家庭教師に
③誰かを相手に勉強したことを話す

12 | 勉強友だちを持つ

　私は高校生のとき、とてもいい勉強友だちがいました。彼といっしょにやっていたのは、次のふたつのこと。

- いつまでに、どの問題集を1冊やるかを、相談して決める。
- 期限がきたら、その問題集をちゃんと理解したか、ポンポン正解が出せるかを、互いにチェックする。

　私たちが通っていたのは、受験体制があまり整っていない地方の高校で、勉強をどう進めていけばいいのかがわかりませんでした。それで2人で相談し合って、スケジュールを作成・実行するシステムをつくったわけです。

　いまにして思えば、これはなかなかいいシステムでした。友だちといっしょに決めた以上、自分だけ「やりませんでした」ではすみません。「できませんでした」と言うのも屈辱です。
　互いが「あいつもがんばってるんだから、僕もがんばろう」と思うことで、勉強へのモチベーションを維持しつつ、スケジュール通りに進めることができました。
　そろって東大に進学できたのも、このシステムのおかげでしょう。彼とは大学入学後も勉強友だちの関係を続け、大学院進学

のときも同様の方法で受験をクリアしたしだいです。

　この体験を通して私が言いたいのは、**「試験に合格するというゴールのある勉強には、ペースメーカーが必要だ」** ということです。
「自分に甘い」のが人の常ですから、ひとりで勉強していると、どうしてもサボりたくなります。
「ちょっとくらい遅れても、あとで挽回すればいいや」とか、
「何も問題集なんて、最初から最後までやる必要ないんじゃない？」
　などと思って。あるいは、
「最初に飛ばしすぎて、疲れてきたな。ちょっと休もう」
　となり、そのままズルズルと休み続けてしまう場合もあるかもしれません。
　いずれにせよ、試験勉強というのは「ペースが崩れると結果に結びつかない」もの。だからペースメーカー的存在になってくれる勉強友だちが必要なのです。
　気心の知れた友だちといっしょに、試験合格までのマラソンロードを楽しく走ってください。

13 | 合格経験者を家庭教師に

　お金はかかりますが、家庭教師をつけるのもひとつの方法です。それも自分の目指す学校・資格・検定試験にすでに合格した経験のある人がいい。

　それは **「当該試験の勉強に取り組んだ体験に基づくノウハウを伝授してもらう」** ことが目的だからです。

　家庭教師と言っても、勉強をすべて教えてもらう必要はありません。お願いすることはふたつ。

- 試験の傾向と対策を教えてもらう。
- 合格というゴールまでの "勉強ペース" を管理してもらう。

　つまり勉強する、言い換えれば問題集を解くのは、あくまでも自分自身なのです。

　家庭教師の先生には、「今日はここまで進みました」とか「問題集を3周して、まだ解けない問題は○％です」などと報告するだけ。そうしてその報告を見た先生から、

「その調子、その調子」

「飛ばしすぎだから、ちょっとペースダウンしようか」

「もう少し、ペースを上げていこう」

等々、的確なアドバイスをもらう、というスタイルです。

　ですから先生に頻繁に来てもらうこともないでしょう。必要に応じて面談し、あとはLINEやメールのやり取りで十分です。

　たとえるなら、「レコーディング・ダイエット」のようなものですね。このダイエット方法は、「毎日、食べたり、飲んだりしたものをただ記録するだけで体重が減る」というもの。自分の食生活の現状を認識することによって、体重をコントロールすることが可能になり、結果的に痩せるのだそうです。

　勉強も同じように、記録がものをいいそう。「レコーディング勉強法」とでも名付けて、

「日々の記録　→　報告　→　現状認識　→　今後のペース確認」

というプロセスで、実力アップを目指しましょう。

　ペースメークに加えてもうひとつ大切なのは、**「模擬試験を受けて、自身の勉強の方向性にズレがないか、チェックをする」**ことです。

　3カ月ごととか、自分で期間を決めて、定期的に模試を受けることをおすすめします。血液検査で体調を把握するように、模試で自分の学力の現状をチェックできるので、たとえば、

「方向性がズレていれば微調整する」

「この弱点を補強すれば、点数が何点上がる」

「この強みをブラッシュアップすれば、何点上がる」

　といった具合に、今後の勉強の進め方が明確になります。

14 | 誰かを相手に 勉強したことを話す

　人に話しているうちに、自分の考えが整理されて、課題の答えが見えてきた、というような経験をしたことがありませんか?

　頭のなかで考えているだけだと、何となくモヤモヤが晴れない。でも誰かに相談しようと、**口に出して説明を始めると、だんだんと頭のなかの靄が晴れてくる**。そういうものなのです。

　実際、インタビューや対談などでも、質問に答えているうちに自分の考えがはっきりしていくことがよくあります。なかにはインタビュアーの方に、

「いやあ、ありがとう。インタビューを受けたおかげで、頭がスッキリしました。自分が何を考えているのか、何をしたいのか、はっきりしましたよ。話してみるもんですね」

　と感謝する人もいるようです。

　頭のなかに雑然とある知識や情報をアウトプットすることによって、その断片がパズルのピースがカチカチとはまるように、自然と動き始めるのでしょう。

　試験勉強に関しても、機会を見つけては、**誰かを相手に自分が勉強した内容を話す**とよいかと思います。

　聞き手は誰でもOK。というより、自分が勉強していることに関

する知識がある人より、むしろまったくわからない人のほうがいいくらいです。

いや、聞き手は生身の人間である必要すらありません。仏壇とか写真・人形・ぬいぐるみなど、そのモノを通して“人間のようなもの”が感じられさえすれば「よい聞き手」になってもらえます。

たとえば仏壇の前で話すなら、こんな具合。

「（線香のひとつもあげて、黙礼してから）じゃあ、おばあちゃん。今週勉強したことを話すから聞いてね。全部で10問解いたんだけど、1問目はこういうことを問う問題で、こういう知識を使って、こう考えれば、正解にたどり着くんだよ。2問目はね……」

復習を兼ねて、問題集や参考書を見ながらでいいので、先生気分で話すと、なかなか盛り上がります。

とくに祖先が祀られている仏壇は、人格が感じられるものなので、いい聞き役になってくれます。

もちろん家族や友人に、「復習がてら勉強したことをしゃべりたいんで、悪いけど30分だけ、つき合ってもらえる？　聞くだけでいいけど、たまにうなずいてね」と頼むのもアリ。

その際はお茶をおごるとか、手土産にお菓子を持っていくなど、気持ち、お礼をすると、なおいいでしょう。

ただし犬・猫などのペットは、聞き役には向きません。じっと話を聞いてくれませんからね。

この方法は英語のスピーチの練習にも適しています。テーマ

を決めて、20分、30分、英語でしゃべり続けることが、チャレンジの場になるのです。

　英会話はネイティブの先生について勉強をするのも悪くはないのですが、リスニングの練習ならともかく、スピーキングを鍛えたい場合は、先生がしゃべっている時間がムダとも言えます。

　しかもこちらはたどたどしかったり、何度もウッと詰まったりしますから、時間がかかりますよね。先生についていると、その間もチャリン、チャリンと課金されるので、お金がもったいない感じもします。

　しかし日本人相手に、自分が一方的にしゃべるスタイルなら、そういったムダは軽減されます。

　お礼のお金がお茶代程度と、ほとんどかからないうえに、相手の話は聞かなくていいのですから、コスパは高いと言えます。

　何でもトロイの遺跡を発見したことで有名な考古学者シュリーマンは、ギリシア語を覚えるときに、短い物語を暗記して、人にしゃべることをしたそうです。

　聞き役になってくれる人は、バイトで雇ったとか。ふつうは教えてもらうことの対価としてお金を払いますが、シュリーマンの場合は単に聞いてもらうだけ。しかも相手は、ギリシア語のギの字も知らない人だったといいます。ちょっと驚きますよね。

「ギリシア語を教えてもらわないんだったら、聞き役なんかおかずに、ひとりで暗誦すればいいんじゃないの？」

　とも思いますよね。

　でも聞き手がいたほうが、緊張感がある分、学習効果は上が

るのでしょう。

シュリーマンは10数カ国語を操る「語学の天才」でしたから、語学の習得には彼の勉強法を取り入れるのもいいかと思います。

あと英会話の勉強に関しては、日本人同士で英語で話す、という方法もあります。

以前、日本人2人がカフェで1時間くらい、英語で会話をしているのを見たことがあります。見た目、ちょっと不自然ではありましたが、最後に「ありがとうございました」と挨拶して終了した2人の顔がとても晴れやかでした。

お互い、流暢にしゃべらなければというプレッシャーもなく、存分に英語をしゃべれて、聞けて、満足だったのでしょう。これは賢いやり方だなと感心した私は、さっそく授業に導入しました。

この「お金いらずの勉強法」、ぜひ試してみてください。

いますぐやってみよう!

今日1日勉強したことを、仏壇の前で報告しましょう。仏壇のない人は、兄弟や友人など、誰かを聞き役にしてやってみてください。仏壇にはお供え、聞き役にはごちそうまたはお土産を忘れずに!

集中力を
ぐんぐん上げて
効率アップ！

勉強が苦手な人はだいたいにおいて、

集中力に問題があります。

なぜ集中力が簡単に切れてしまうのか。

あるいはそれ以前に、なぜ集中力をなかなか起動できないのか。

原因はズバリ、気持ちを勉強に持って行くのが下手なことです。

勉強欲にパッと火をつけ、

集中力を切らすことなく、

勉強効率をぐんぐん上げながら進めていくために、

東大時代からずっと私が実践し続けている方法を、

5つほど紹介しましょう。

①2種のグッズを"勉強サポーター"に

②脳に水分補給をする

③集中とリラックスを同時に行う

④この呼吸法で瞬間的に休む

⑤15分勉強法でやる気に火をつける

15 2種のグッズを "勉強サポーター" に

　集中して勉強するためにもっとも重要なのは、時間を強く意識することです。別の言い方をすれば、

「時間を追いかけながら "攻めの勉強" をして集中力を高め、スピードを上げていく」

ということです。

　仕事でもそうですが、「ペースを上げよう」「短時間でこなそう」とすると、「時間に追われている」感じで、苦しくなりますよね？

　でも同じように忙しくても、「追いかける」気持ちで攻めると、ぐっとラクになります。

　プロ野球のペナントレースでも、トップを走る球団の監督・選手がよく言うじゃあないですか、「追われるより、追うほうがラク」だと。そういう感覚です。

　では、どうすれば時間を追いかける感覚を持てるのか。とっておきのグッズがあります。**ストップウォッチ**です。

　私はずっと「ストップウォッチを押してから勉強を始めましょう。仕事を始めましょう」と言い続けています。いまやスマホにだって、ストップウォッチがついているのですから、手軽に活用できますよね。それなのに実践する人が、まだまだ少ないのが現状です。

ですからここで改めて、ストップウォッチの効用についてお話ししておきます。

　まずなぜ、時計ではダメなのか。

　別にダメではないんですが、時計というのは現在の時刻を知るための道具なので、勉強時間を計算するのがちょっと面倒くさいのです。

　その点、ストップウォッチなら、勉強を始めると同時にスイッチを押して、終わったらまたスイッチを押す。それだけで自動的に勉強時間が出てきます。

　前の例で言うと、一目で「おお、1時間45分で終わったか」とわかるわけです。つまりストップウォッチのほうが時計より、時間管理をしやすい、ということです。

　私はストップウォッチを使うとき、まず勉強量からどのくらいの時間がかかりそうかを考えます。その目安の時間を少し早めに、

　「1時間くらいかかりそうだけど、よし、50分で仕上げよう」

　などと設定して、勉強にかかります。

　そして勉強を進めながら、ときどきストップウォッチをちらりと見ます。何分経過したかを確認するのです。

　キッチンタイマーで時間を限るのも効果的です。

　こういう方法で勉強を進めると、処理スピードが自然と上がっていきます。

　しかも目標の時間より早く仕上がれば、「次はもっと早く」と調子づきます。逆に遅ければ遅いで、「んー、次はリベンジだ」とがんばります。どちらに転んでも、スピードアップにつながるのです。

ちなみにスピードと集中力は比例します。スピードが上がれば集中力が上がり、集中力が上がればスピードが上がる。相乗効果が得られるんですね。

　ただし調子に乗ってスピードを上げすぎると疲れます。だんだんとペースダウンしていく恐れもあります。

　また目標時間に余裕を持たせすぎると、なかなか進まず、いたずらに勉強・作業時間が増えてしまう可能性もあります。そうすると"長時間労働"になり、疲れがたまらないとも限りません。

　まぁ、その辺も、ストップウォッチを使っていると、しだいに自分にとってちょうどいいテンポがわかってくるので、調整しやすいと思います。

　最終的には、どのくらいの分量をどのくらいの時間でこなせるかをカンでつかみ、1日の勉強の割り振りがうまくできるようになるはずです。そうしてたとえば、

「いつもなら50分でこのくらいの分量をこなせるけど、今日は体調がいまいちだから、1時間くらいを目安にして、疲れすぎないようにしよう」とか、

「明日は飲み会があって夜の時間を使えないから、今日はいつもよりちょっと飛ばそう」

といった具合に、毎日の勉強量にメリハリをつけながら進めていけばよいのです。

　このようにストップウォッチやキッチンタイマーは、勉強のスピードアップとスピード管理を同時に行うための必需品。頼りになる"勉強サポーター"になってくれます。

もうひとつの頼れるサポーターは**3色ボールペン**です。

　問題集の解説や参考書を読みながら、たとえば一番大事で、かつポイントが端的に書かれているところに赤線を引きます。さらに、キーワードは赤い丸でグルグルと囲みます。

　「キーワードグルグルまき方式」は記憶に残ります。

　また客観的に「まぁまぁ大事」と思われるところには、青線を引きます。赤と同様、キーワードは青い丸で囲みます。

　さらに重要度は低いけれど、自分が「面白い！」と感じたところには、緑線を引きます。数行分を囲んでもOKです。

　以上は色の使い分けのほんの一例。使いやすいよう工夫して"マイルール"をつくるとよいかと思います。

　問題集や参考書に限らず、本は線を引きながら読むと、意外と速く読めるものです。また要点が頭に入ってきやすく、記憶に残りやすい、というメリットもあります。

役立つ
3色ボールペン

いますぐやってみよう！

　「ヨーイドン！」でストップウォッチを押し、勉強をスタート。問題集の解説や参考書は3色ボールペンで線を引きながら進めてください。スピードがぐんぐん上がり、集中力も増すことが実感できますよ。

16 ｜ 脳 に 水 分 補 給 を す る

　私が経験的に思うのは、**「勉強で頭を使うときは、水分をたく**
さん取ったほうがいい」ということです。

　体力をめいっぱい使うアスリートと同じで、脳をフル回転させ
て勉強する人は、なぜか喉が渇くように思うのです。

　とくに音読したり、スピーチの練習をしたり、アウトプットに喉を
使う人はなおさら。私も「100分授業の間、ほぼしゃべりまくりの
授業を日に3回も4回もやる」毎日なので、水が手放せません。

　しかも飲み物を飲むという行為は、それ自体が休憩です。

　「脳への給水＝休憩」になりますから、あえて休憩時間を取る
までもなく、何時間も集中して勉強することすら可能です。

　飲み物は水でもお茶でもコーヒーでも好みのものでいいし、
容器もペットボトル、紙パックなど、何でもOK。もちろん安く上げ
るために、スーパーで2ℓ入りの大きなペットボトルを買って、
500㎖容器に小分けしても、自分でティーバッグや茶葉を煮出し
て水筒等に詰めて携帯したっていい。

　勉強するときは傍らに飲み物を用意し、休憩がてらごくごく飲
むことを習慣づけることをおすすめします。

　飲み物では、私はコーヒーもよく飲みます。

　東京に出てきたころは苦くて飲めなかったのですが、たとえ

ば女の子と喫茶店に行って「紅茶」っていうのは、何となくかっこ悪いで気がしました。それであるとき意を決して、「コーヒーを頼もう」と思ったんです。実際、香りをかいでわかったのは、

「コーヒーは脳を刺激するある種の薬物だ」

ということでした。だとしたら、勉強で疲れる脳に効きそうではありませんか。以来、私は濃いコーヒーを求めてさまよい歩き、神保町にいまもある神田伯剌西爾（ブラジル）まで行ってマンデリンという豆を仕入れていました。

この喫茶店で友だちと「教育ヌーベルバーグの会」と称して勉強したり、ひとりで仕事をしたりしたこともよくあります。

かのバルザックも脳を活性化するコーヒー豆を求めてパリを歩き回ったそうです。

コーヒーを飲むと、テンションが上がるような気がします。「コーヒー・ルンバ」じゃないけれど、恋を忘れたアラブの男もコーヒーを飲むとたちまち若い娘に恋するくらいですからね。

なので私は、コーヒーを好きで飲んでいるのではなく、脳を活性化させるスイッチだと思って"摂取"しています。チビチビ飲むので、コーヒーは冷めますが気にしません。

17 | 集中とリラックスを 同時に行う

「脳は糖分を欲している」

とよく言われます。

脳が大量のブドウ糖を消費することが根拠のようですが、それには否定論もあります。事の真偽はともかく、私自身は、

「甘いものは脳の疲れによく効く」

というのが実感です。

チョコ好きでもある私は、カバンのなかにいつもチョコを入れているくらいです。

甘いものは食べすぎると体に毒、ということもありますので、その辺はコントロールしながら取り入れるといいでしょう。

あと私は、フリスクやミンティアのような清涼菓子を携帯しています。これを口のなかに入れると、シュワーッと爽やかな香りが広がって、瞬間的に休むことができる、それが一番のメリットです。

そもそも私は、長いこと、脳を酷使してきました。

「大半の人が音を上げる量の勉強にもビクともせずに元気に動き続ける"超人的な脳"を手に入れたい」

と思って、相当な訓練を積んでいました。

たとえばものすごく短い時間で本を1冊読み切るとか、そうし

て読んだ本についてダーッとしゃべり続ける、という訓練です。

　結果、おもにふたつのことがわかりました。

　ひとつは、水分も糖分も補給しなければ、脳が異常に疲れること。もうひとつは、集中とリラックスを同時に行えば、脳は回転し続ける、言い換えれば「集中している時間が延々続く」ということです。

　このふたつは微妙に関連しています。なぜなら**「集中とリラックスを同時に行う」**というのは、まさに「飲み物をごくごく飲む」ことであり、「コーヒーをちびちび口にする」ことであり、「チョコや清涼菓子を食べる」ことにほかならないからです。

　もっともみなさんは、私ほど徹底的に訓練しなくても大丈夫。長く集中したいここぞのときに、ふつうなら、

「休憩して、リラックスしながら飲み食いする」ところを、

「休憩がわりにちびちびと飲み食いする」

　スタイルに変える。その程度のことで十分です。

　集中力を維持するひとつの方法として、取り入れてみてください。

18 この呼吸法で
瞬間的に休む

　カフェの項目で触れたように、人の脳は多くの場合、時間を区切ることで集中力のスイッチが入ります。

　ただその集中力を、長時間持続させるのは難しいものです。やはり休憩が必要です。

　前項では瞬間的に休む方法について、飲み食いについて述べましたが、もうひとつ、とっておきの方法があります。それは、**「死体になった気分で息を吐く」** 呼吸法です。

　やり方は簡単。「疲れてきたな」と思ったら、

　①軽く目をつぶって、ゆったりと2、3秒で息を吸う

　②そのまま10秒ほどかけてゆっくりと細く長く息を吐く

　③①〜②の「吸って吐く」を1分くらい繰り返す

　たったそれだけで、頭がスッキリします。ほぼ瞬間的に脳を休ませることが可能なのです。

「死体になった気分」というのは、息をしているのかいないのかわからないくらいの状態を意味します。吐く息に身を任せる、という感じでしょうか。

　私は実は「呼吸研究者」です。なぜ呼吸の研究を始めたかと言うと、「究極の集中と究極のリラックスを同時に行う」こと

が目的でした。先に触れた"超人的な脳"を手に入れるための訓練法として、呼吸法に注目したわけです。

たとえば「限界まで脳を高速回転させるにはどうすればよいか」「一気に脳を休ませるにはどうすればよいか」といったことを課題に呼吸法を考えました。結果、たどり着いたのが前記の呼吸法なのです。

これをマスターすると、意識が途切れることがなくなります。呼吸を整えることによって、一定の意識水準が保たれるのです。

これは剣道を考えるとわかりやすいでしょう。うっかり息を吸おうとすると、その瞬間に意識が飛んで、「スキあり！」、パンと打ち込まれてしまいます。意識が途切れて、同時に集中力も切れるからです。

みなさんは呼吸法の専門家ではないので、専門的な訓練まで積むことはありませんが、勉強で脳が疲れたら、

「吐く息を中心にしつつ、短時間でしっかりと息を入れるスタイルで呼吸を整える」

ことを意識してくださいね。

間違いなく、数分の休憩を取らずとも、集中力が持続します。

いますぐやってみよう！

ヨガに「死体のポーズ」なるものがあります。これは基本中の基本。簡単に言えば、床に仰向けに寝て大の字になって、全身の力をくまなく脱力するポーズです。

このポーズで「ちょっと吸って長く吐く」呼吸をしてみましょう。1分で元気がよみがえりますよ。

19 | 15分勉強法で やる気に火をつける

　勉強が嫌いな人は、集中力を起動する以前の問題として、やる気にスイッチが入らない、ということがあります。たとえば、

「勉強しなくちゃな。でもその前に、『スラムダンク』を読もう」

　と、全31巻読んでしまう、みたいなことです。

「勉強しよう」と思うと、条件反射的にその前に"思考"に入って、机周りの掃除をしたり、腹ごしらえをしなくてはと料理を始めたり、勢いづけにゲームをやったりするんですね。

　そういう人は「勉強しよう」と思う気持ちとは裏腹に、「勉強しなくてすむ」何かを探してしまうのでしょう。

　これに歯止めをかけるには、「四の五の言わずに、**とにかく勉強を始める**」しか方法はありません。

「それが難しいから、困ってるんですよ」と反発されるのは百も承知ですが、なぜ難しいのか、ちょっと考えてみてください。

　推測するに、最初に1時間なり、2時間なり、まとまった時間、勉強しようと思うからではないでしょうか。

　勉強が嫌いな人は、そもそもやりたくないのですから、長時間やらなくてはいけないとなると、それだけで気持ちが悪くなってしまうのだと思います。

　そうならないためには、「勉強は時間単位で行うもの」とい

う固定観念をはずしてしまうのが一番です。

　15分なら、どうでしょう？　気楽に手をつけられますよね。15分で終わりにしていいんですから。

　勉強でも仕事でも何事につけ、取りかかる最初の5〜15分にすごいエネルギーがかかるものです。それで「イヤだな」と思っているうちに、すぐに時間が経ってしまう。勉強が別に嫌いでない人だって同じです。

　でも「イヤだな」と思っている時間は、明らかにムダなので、ちょっとコーヒーでも飲んで、すぐにストップウォッチを押す。そして「よし、15分」と思って、勉強をスタートさせればいいのです。

　もちろん15分でやめてけっこうです。ただ多くの場合、15分経つと興が乗ってくるので、「もうちょっとやろうかな」と思うはず。あるいは毎日15分を続けるうちに、自分のほうが苛立って、「もうちょっとやらせてくれよ」みたいな気持ちになる場合もあります。

　そうやって自然に芽生えたやる気は大切にしてください。最初は「15分勉強法」だったのが、いつの間にか30分、1時間、2時間と増えていく可能性、大です。

いますぐやってみよう！

　この「15分勉強法」のように、時間を区切って勉強に取り組むとき、砂時計を使うと意外と楽しいものです。私もイタリア製のきれいな30分砂時計を使っていたことがあります。ストップウォッチか砂時計か、お気に入りのグッズで「15分or30分勉強法」を試してみてください。

「忘れない勉強法」 ポイントは アウトプットにある!

東大生の
ノートはなぜ
すごいのか

試験勉強にしろ、

仕事の知識・スキルを上げるための勉強にしろ、

豊かな教養を身につけるための勉強にしろ、

得たものを何かに「使う」もしくは「役立てる」ことが

できなければ、勉強する意味はありません。

だから勉強しっ放しはダメ。

「生きた知識」にする必要があります。

そのときに求められるのが「記憶力」。

勉強したそばから忘れてしまわないように、

得た知識をアウトプットすることで記憶力を増強しましょう。

そのアウトプットの方法のひとつが「紙に書く」こと。

3つの観点から説明しましょう。

①記憶法の基本は「紙と鉛筆」
②これが東大生流ノートの取り方
③メモを習慣づける

20 記 憶 法 の 基 本 は 「 紙 と 鉛 筆 」

1980年前後にワープロが登場してこの方、「鉛筆やボールペンで紙に文字を書く」機会がどんどん減っています。

メールやSNSが主要なコミュニケーションツールになってからは、その傾向が加速度的に強まったと言えるでしょう。

いまや若い人からシニアの方まで、「最近はほとんど自分の手で字を書くことがないなぁ」という感じでは？　もはや「紙と鉛筆」は、古典的なライティング手法になった感があります。

それは時代の流れだし、悪くはありません。

たとえば勉強したことを、忘れないうちにスマホにちゃちゃっと打ち、SNSでメッセージ配信する。

そんなスタイルでも、「書いた」のと変わりはないので、勉強しっ放しにするよりは記憶に定着する度合いは高くなるでしょう。

それでもときには、「古典に回帰する」のもいい。

というより、目や耳を通して脳に蓄積した知識を記憶しておくためには、むしろ積極的に、

「紙と鉛筆を使う」

べきだと私は思います。

なぜなら脳に蓄積された知識は、「手を動かして文字を書く」という身体動作をともなうアウトプットをすることで、より記憶に

定着しやすくなるからです。

　人間の脳って、意外と原始的にできていて、キーボードを使って自動的に漢字・かなが出ると、ちょっと戸惑う部分があるんですよね。「え、いま、何が起こったの?」という感じで。

　そりゃあそうです、脳は長年「鉛筆を指と一体化させて操りながら、文字を一画一画書く」ことによって、書かれた文章を認識・記憶してきたのですから。

　勉強した内容をある程度は覚えておきたい場合は、要点を「手で書く」というアウトプットをするのが案外効果的であることを覚えておいてください。

　それに「漢字は読めるが書けない」という現象が蔓延しつつあるいま、"手書き勉強"を取り入れておくと、「おー、そんな難しい漢字が書けるんですか?　すごい!」などと周囲から一目置かれること間違いなし。漢字の書き取りの練習のためにもおすすめです。

21 これが東大生流 ノートの取り方

「書く」という形のアウトプットには、おもにノート・メモを取ることがあげられます。

　これに関しては、東大生のスキルがすごい！　それは、周りの東大受験生ならびに東大生を見ていた私の実感です。

　まず東大生のノートの取り方。ひとことで言えば、
「講義を聞いて、即座にポイントをつかんで、ノートにすらっと整理して書いていく」方式です。

　つまり知識をインプットすると同時に、アウトプットする、ということです。

　脳のなかでは、まず講義を聞きながら、大事なことと、そうでもないことを区別しています。

　そのうえで、大項目・中項目・小項目を立てて、講義の内容を記述します。たとえば柱となる大項目は、ローマ数字でⅠ・Ⅱ・Ⅲ……、重要ポイントは算用数字で1・2・3……、キーワード的な小項目はa・b・c……といった具合に分けるといいでしょう。大、中、小項目の先頭をそれぞれ、左から1マスずつずらす感じで。

　そうすると、つらつらと平板な話が続いていく講義でも、内容をある程度構造化して記録していくことができます。

場合によっては、矢印や線、丸・四角の囲いなどを使って、図解してもいい。ちょっと高度なテクニックを要しますが、"論理の相関図"のようなものが描ければ、あとで見直したり、復習したりするときによりわかりやすくなります。

　私が学んだ東大法学部の先生方はだいたいが、プリントなんてものはほぼ配らずに、ひたすら100分話し続ける、というスタイルで講義を進めました。といっても日常的な"話し言葉"ではなく、かなり"文章語"に近い言葉で。だからまぁ、記録しやすい部分はあったかもしれません。

　それでも"ノート取りの達人たち"が、講義を聞きながら内容をチャート式みたいに図解化・構造化してノートを仕上げていく様は圧巻でした。参考書のような仕上がり。出席率がよくない私にとって、そういうノートがどれほどありがたかったか……！

　ここで心得ておいていただきたいのは、同じノートを取るのでも、「**板書を写すことはアウトプットではない**」ということです。

　よく「板書を写すと、手で覚えられていい」などと言う人がいますが、少々疑問です。ちょっと思い出してください。

　板書を写しているとき、あなたは頭を使っていますか？

　使っていませんよね。ノートを取ることが単なる「作業」になってしまい、脳は事実上、思考停止にあると言っていいでしょう。

　ノートを取るときは、あくまでも耳で得た知識を脳で咀嚼して、つかんだ要点を紙にアウトプットすること。美しいノートを作ることが目的ではありません。自分の頭に残るノートを目指しましょう。

22 メモを習慣づける

　学校等で勉強するときだけではなく、人と話をする、本を読む、テレビを見る、ラジオを聞く……あらゆるシーンで、メモを取ることを習慣づける。それも大切です。

　得た知識をメモにアウトプットすることによって、記憶に定着させることができるからです。

　私たちは日常的に、人との何気ない会話も含めてさまざまな知識・情報を仕入れています。

　ただ残念なことに、たいていの知識・情報は、「へぇ、そうなんだ」「そりゃあ、知らなかったね」「なるほど、おもしろい話だね」とその価値を認めながらも、すーっと受け流される運命にあります。

　それはもったいないこと。常にメモを携帯し、それこそ「いいね！」と思ったら、キーワードだけでも即座にちゃちゃっと書いておく。たったそれだけのことで、知識・情報を活用・応用可能な状態に留めておくことができます。

　「小学1年生だってメモを取るべきだ」

　というのが私の考え。子どもたちにはこんなふうに教えます。

　「授業で先生が言っている言葉は、空中をひらひら舞うチョウチョみたいなものなんだよ。いろんな色や模様をした、きれい

なチョウチョがいっぱい出てくるよ。そのチョウチョを網で捕まえて、カゴに入れようね。網は鉛筆、カゴは紙。さぁ、チョウチョとりをするように、先生の言葉を鉛筆で紙に書き取ろうね」

そんなイメージを伝えると、子どもたちは喜んで先生の言葉を捕まえようとします。

1年生だと、どの言葉を捕まえていいのかがわからないこともあるので、その場合は「キーワードはこれ。メモしてみて」などとサポートします。

そのうえで、「いまメモした言葉を3つつなげてお話をつくり、隣のお友だちとお話ししてみよう」と、新たな課題を与えます。そうすると小学校1年生でも、まとまった話ができるようになります。と同時に、書き出したキーワードが記憶に定着するのです。

「大人の勉強法」にも大いにメモを活用してください。常にメモと筆記具を持ち歩き、人と話すときはもちろん、町を歩いているときでも、テレビを見たり、本を読んだりしているときでも、いつでも気づいたことがあったらメモすることを習慣づけましょう。

"メモ魔" になることがまた、記憶力増強につながるのです。

"暗記上手"
になって
より効率的に
勉強を進める

勉強に「暗記」はつきものです。

たとえば、ある程度の量の英単語を暗記していなければ、

テストの問題を解けないし、英語の本をスラスラ読むことも、

英語のメールやスピーチ原稿を書くこともできません。

歴史だって、大きな出来事とその年号や、

時代時代で活躍した重要人物くらいは暗記していないと、

ざっくりした流れをつかむことも、歴史観を持つこともできません。

巷間、「暗記ばかりの詰めこみ教育はよくない」と言われますが、

とくに基礎を固めるには暗記は必要不可欠なのです。

ここではどうすれば上手に暗記できるか、

5つの方法を紹介しましょう。

①記憶すべき事柄に話しかけながら覚える
②短期間で集中して大量に覚える
③解法のパターンを暗記する
④物忘れを防ぐ日常的な工夫
⑤自分に合う記憶法を見つける

23 | 記憶すべき事柄に 話しかけながら覚える

たとえば英単語・英熟語を覚えるための大ベストセラーに、通称「でる単・でる熟」、正式には『試験にでる英単語』『試験にでる英熟語』というものがあります。

あなたもおそらく、「この本に出ている英単語・英熟語は、とにかく暗記する！」と固い決意をもって挑んだのでは？　もちろん私もトライしました。やってみてわかったのは、

「1周して全部の単語を覚えたつもりでも、2周目をやると、驚くくらい忘れている」こと。

3周目になってもまだ覚えられない、下手すると「初めて見た気がする」という単語さえあったものです。

もっとも私は、1周目にわからなかった単語・熟語には丸、2周目は二重丸、3周目は三重丸、4周目は四重丸……というふうに印をつけたので、初めて見た単語ではないことは一目瞭然です。

さすがに5周目、6周目になると覚えます。「なかなか覚えられない」ことで覚えられたものもあります。ただなかにはよほど相性が悪いのか、6周やってもまだ覚えられないものもありました。

いま思うと、あれほどたくさんの量を覚える必要はなかったような気もしますが、当時は「ひとつ残らず覚えなくてはいけない」と思い込んでいたんですね。

そんな経験から、歴史の年号なども含めてこの種の暗記もの

は、全部を覚えようとしなくてもいい、3、4周しても覚えられない
ものは試験の前日か直前に覚えればいいのです。

　それはさておき、暗記するときのコツをひとつ。それは**「先生
が名前を忘れた生徒に話しかける感じで覚える」**ことです。
　先生というのは毎年のように多くの卒業生を送りだしているの
に、10年ほど経って同窓会で会うと、ほぼクラス全員の名前を覚
えていますよね？　「すごいですね、よく覚えてられますね」と言う
と、「担任として1年間いっしょに過ごすと、ふつうに覚えちゃうん
だよ」とさらりと答えますが、「ふつう」なんかではありません。生
徒ひとりひとりに対する愛情があるからこそ、覚えられるのです。
　この法則を応用して、覚えるべき事柄に、先生が生徒に対す
るような愛情をもって接するのがポイント。たとえば、
　「えっと、ごめん、もう3回目なのに、また忘れてごめんね。今度
こそちゃんと覚えるから、もう1回だけ教えて」
　というふうに話しかける。そうすると、その覚えるべき事柄に対
して「簡単に忘れるわけにはいかない」気持ちになります。
　これに関連して、ある警察官の方の話を思い出しました。彼
は指名手配犯を町で探す仕事をしているのですが、毎朝、犯人
の写真に向かって話しかけるそうです。
　「もう5年経つけど、どうしてる？　元気にしてるか？」と。
　すると、その写真が5年前、10年前のものであろうと、パチン
コ店で横顔を見かけただけで「おー、久しぶり」とわかるとか。
　このように、覚えるべき事柄に対しては、知り合いと話すよう
な親しみとライブ感をもって接するのもひとつの方法ですね。

24 | 短期間で集中して大量に覚える

　何かを暗記するとき、「毎日少しずつ覚える」という方法があります。まじめな人に多い"こつこつタイプ"と言いますか、何事も小さなことをこつこつと積み上げてこそうまくいく、という考え方があるのでしょう。

　でも暗記に限って、あまり効率的な方法とは思えません。

　なぜなら人の意志は、そう長くは続かないからです。たとえば英単語を1日に10個、全部で1000個覚えるとすると、100日、約3カ月もかかってしまうではありませんか。

　この種の意志が続くのは、けっこうながんばり屋さんでも2週間。そうでなければせいぜい1週間、ひどい人になると3日で音を上げるものです。

　そう考えると、「1日250個覚えて、4日で1000個終わらせる」くらいのペースでやったほうがベター。少なくとも、挫折せずにゴールまでたどり着くことはできます。

　やってみるとわかりますが、1日250個チェックするのが大変かと言うと、そうでもないですよ。

　何も完璧に覚える必要はないので、パッと見て「知らない」ものは「知る」だけで十分。「ごめんね、今度覚えるからね」と言って、どんどん次に行けばいいのです。

この方式は「1日に250個覚える」のではなく、**「1日に250個、知っていることと知らないことをチェックする」** のが目的。すでに知っている単語には赤や青で〇をつけて、印のないものについて再チャレンジする、という感じがよいかと思います。

　こうしてわずか4日で1000個をチェックすると、達成感が得られますし、ちょっとした自信にもなります。それに2周目は、知っている単語を省けるので、数が減ります。再チャレンジが750個あったとしても、今度は3日で終わる計算です。

「全部覚えたとは言えないけど、たくさんの知らない単語に触れることはできた。知っている単語は省いて、250個ずつ、さぁ、もう1周だっ!」

　という気持ちになれます。結果として、優に3カ月かかる「1日10個ずつこつこつ」方式よりも格段に早く、確実に1000個の単語を暗記することができるのです。

　私は予備校で英語を教えていたとき、高校生にこれをやってもらいました。「英単語を知らなければ、読めない・書けない・話せない・聞けない。だから、英語ができるようになるには、知っている英単語量を爆発的に増やすのが一番です。これから、英単語を膨大にする授業を始めまーす!　課題は1日250個です」というふうに。

　私自身、この「短期・集中・大量」方式で、英単語をはじめとするさまざまな暗記事項をマスターしました。前述した問題集を繰り返しやるのと同じ要領で、4、5日で1周したら1、2週間おく、というふうに進めましょう。確実に記憶に定着させることが可能になります。

25 | 記憶力
解法の
パターンを暗記する

　精神科医であり、受験アドバイザーであり、その他マルチな分野で活躍されている和田秀樹さんに『数学は暗記だ!』という著書があります。

　一般的には「えっ、数学で暗記するものって、公式くらいなんじゃない?」と思われているかもしれませんが、ある意味、和田さんは正しい。なぜなら、数学の問題は結局、解法のパターンを知っているから解ける部分が大きいからです。

　たとえば「1〜100までの数字を足してください」という問題が出たら、あなたはどう解きますか?　バカ正直に、

「1 + 2 = 3、3 + 3 = 6、6 + 4 = 10、10 + 5 = 15……」

　と順番に100まで足しながら計算しませんよね。一瞬にして、

「101 × 100 ÷ 2 = 5050」

　と計算するでしょう?

　なぜそれができるかと言うと、私たちはガウスというドイツの数学者が子どものころに思いついた、いわゆる「等差数列の和を求める」方法を知っているからです。文章にすると、

「まず左から1〜100までを並べ、その下に100〜1までを並べた場合、上下段のそれぞれの数字の合計はすべて101になる。ということは、2段の数字を合わせると101 × 100 = 10100。こ

90

れは1〜100までを2段分足したのに等しいから、1段分、つまり1〜100までを足すとその半分。10100 ÷ 2 = 5050で、正解は5050」

というもの。このパターンを暗記していれば、1から順番に数字を足していった場合の答えは、2000でも50000でも、すぐに出ます。

1〜2000までなら「2001 × 2000 ÷ 2 =」。

これなどは「2000 ÷ 2」を先にやって、1000を2001にかければ、すぐ2001000と出ます。

解法のパターン自体を自分で編み出すのは至難の業ですが、それは天才たちに任せて、私たちは解法のパターンとして活用する。そこを意識するといいでしょう。

数学に限らずどんな科目でも、「解法のパターンを暗記する」ことを意識すると、応用力が上がります。テストに解いたことのない問題がたくさん出ても、

「あ、この問題はあの解法パターンで解けるな」

と気づきさえすれば、すらすら解けますからね。

試験勉強というのはだいたい、自分で解法を考えだそうと思った瞬間に苦しくなるものなのです。それよりも、

「いろんな問題から解法パターンを見つけだして暗記し、それらを組み合わせて解いていこう」

と考えてください。「解法のパターンを暗記する」ことをちょっと意識するだけで、勉強の成果は全然違ってきますよ。

26 物忘れを防ぐ 日常的な工夫

　記憶力を強化するためには、日ごろの生活に「物忘れをしない」ような工夫を取り入れることも大切です。

　とくに年齢を重ねるにつれて、物忘れがひどくなりますよね?

　たとえば用があって、別の部屋に行ったのに、「何をしに来たんだっけ?」と忘れちゃう。

　またメガネや財布・ケータイ・カギなど、いろんなものをどこにおいたか忘れて、しょっちゅう探し物をしている。

　さらには家を出て、しばらくしてから急に、「カギ、かけったっけ」「ガス、止めたっけ」「ストーブ、つけっ放しにしてないかな」などと、"やり忘れ"が心配になる。

　こういったことを「年のせい」とか、「どうも忘れっぽくて」などと流していると、勉強に必要な記憶力まで、どんどん減退してしまいかねません。日常生活にある程度、物忘れを防ぐ工夫を取り入れておく必要がありそうです。

　おすすめしたい方法のひとつは、「何の関係もない複数の要素をつなげて、ストーリーをつくって覚える」こと。

　たとえば外出するとき、忘れ物をしないように10個のポイントを設定。それをやる順番を決めて、ストーリーにしていくのです。

「カーテンをあけ、窓をあけて深呼吸。ちょっと寒いからエアコンをつけて、テレビもつけようね。お湯をわかしてお茶をいれ、一服しながらスマホでメール＆お天気チェック。着替えましょ、鼻をかみましょ、口元をふきましょ、新聞読みましょ、出かけましょ……」

みたいな感じで朝の一連の行動をストーリー化して、それを言葉に出しながら窓からリビング（エアコンやテレビのリモコンが載っているテーブル）、ガステーブル、クローゼットなどをスムーズに回り、外出前にやるべきことを全部やる、というスタイルです。

「あれもやらなきゃ、これもやらなきゃ」とバラバラにしておくと、何かが抜けてしまうので、ストーリー仕立てで体を動かし、最終的には **「体で覚える」** のが一番です。何事も忘れない体質が強化されるでしょう。

また、鉄道の人が実践している **「指さし確認」** も効果的です。私はこれを東大の友だちに教わりました。

「時計よーし、メガネよーし、定期よーし、財布よーし、ガス栓よーし、戸締まりよーし……というふうに毎日指さし確認していると、絶対に忘れないよ。あと勉強のときも、覚えなきゃいけない事柄をキーワード化して、〇〇よーし、××よーし……って確認するのに使えるよ。テンポよく覚えられるんだ」

そんな彼のアドバイスに素直に従って、私も忘れ物をしなくなったし、ちょっとした記憶力トレーニングもできたように思います。

こういったストーリーづくりや指さし確認は、楽しく実践できることもまたメリットでしょう。

27 | 自分に合う 記憶法を見つける

　記憶法には、人によって合う・合わないがあります。ある人にとっては「ぐんぐん覚えられるよい方法」であっても、別の人にとっては「まったく覚えられない」こともありうるのです。

　大事なのは、自分に合う記憶法を見つけることです。

　そもそも「ただ羅列してあるものを見ただけで覚えられる」人というのは、非常に運がいい。"記憶の神様"に愛されているのかもしれません。

　おそらく「一目見たら、パシャッと写真を撮って、"脳のアルバム"に記録される」ような特殊能力の持ち主でしょう。現実にそういう人がいるらしいのですが、ふつうはムリ。それが望めない以上、何らかの記憶法を使うしかないのです。

　以下、記憶法をいくつか紹介しましょう。まだ自分に合う記憶法の見つかっていない人は参考にしてください。

●単語カードで覚える

　英単語や歴史の年号などを覚えるとき、カードを使ったことがありますよね?

　たとえば表に英単語・裏に日本語訳とか、表に歴史上の出来事・裏に年号、表に漢字・裏に読みといったことを書き、カードをめくりながら答えていくものです。

そういうカードを、覚えたもの・覚えていないもの関係なく繰り返しやる方法もあれば、覚えたカードをはずしながら繰り返す方法もあります。

●語呂合わせで覚える

　歴史の年号や元素記号などを覚えるときに、よく使われます。数字・記号をかなに変えて文章にするやり方です。日本史の「鳴くよ（794）鶯、平安京」とか、化学の周期表を原子番号順にした「水兵リーベぼくの船（H He Li Be B C N O F Ne）なまがーる（Na Mg Al）シップスクラークか（Si P S Cl Ar K Ca）……」といったものです。

　自分でつくってもいいけれど、"市販"のものを利用したほうがお手軽ですね。まぁまぁ意味のある文章になっているので、覚えやすいかと思います。

●有名人に関連づけて名前を覚える

　俳優・歌手・お笑い芸人など、有名人の名前は覚えやすいですよね。それを利用して、「キムタク似の営業マン、○○さん」とか「口元が綾瀬はるかの広報レディ、○○さん」などと、勝手にキャッチフレーズをつくると、意外と記憶に定着します。

　一説によると、エッチ系のエピソードでフレーズをつくるのもいいとか。その方面が得意な人は試してみてください。

●覚えるべきものを最小化する

たとえば年号なら、西暦で4桁覚えるのは大変ですが、1900年代をひと括りにして、下2桁だけ覚えるほうが、ずっと楽ちんですよね。

同様に、英語で同じ接頭語のものをひと括りにして、後ろにつく単語を覚えるとか、偏やつくりが同じものをひと括りにして漢字を覚えるなど、覚えるべきものを最小化するといいでしょう。効率的に記憶できます。

●思い出すためのフックをつくっておく

言ってみれば、記憶する目的は「思い出す」こと、つまり質問に対する答えが出てくればいいわけです。

であるならば、問いと答えの最初の1、2文字をセットにして覚えておくのもひとつの方法です。

ちょっと思いつきで言うと、「自由民権運動が板についてた板垣退助」「戊辰戦争ではかわいそうだったね、河井継之助」「パンがなければお菓子を食べればいいって、あんまりだよ、マリー・アントワネット」みたいな感じでしょうか。

「この頭の1文字があれば、スルリと思い出せる」という文章を、オリジナルで上手につくってみてください。うまくいけば、つくってる間に記憶に定着するかもしれませんよ。

●エピソード記憶を使う

エピソード記憶とは、体験を通して記憶することです。たとえば「イタリア・ナポリで食べたあのピザの味が忘れられな

い」とか「東京ドームで見た松井秀喜選手の特大ホームラン、20年経ったいまもまぶたに鮮明に焼きついている」「初恋のあの子にフラれた日の夕焼け空ほど、心にしみた風景はない」等々。**心が動いた強烈な体験ほど、しっかりと記憶に定着している**ものです。

　このエピソード記憶のいいところは、がんばって覚えようとしなくても覚えられて、しかも忘れにくいところ。何かを丸暗記する「意味記憶」と大きく違うところでもあります。

　年を重ねるにつれて意味記憶で覚えるのは苦手になります。トランプの神経衰弱でも、大人はよく子や孫に負けますよね。だから**"大人の暗記"は、積極的にエピソード記憶を使ったほうがいい**。「読んで覚える」ことの＋αとして、それに関連することを体験するのです。「エピソード記憶で覚えるんだ」という覚悟をもって現場に臨めば、なおさら記憶力増強に役立ちます。

以上はほんの一例ですが、いろいろ試しながらオリジナルの工夫を加えて、自分に合う記憶法を見つけてくださいね。

音読することで記憶に定着させる

音読は「忘れない勉強法」の要になる、

「アウトプット」のなかでももっとも重要なスタイル。

「本にある言葉が自分の体のなかに入ってから、

音になって出ていき、また耳からなかに入ってくる」

というインプットとアウトプットの循環が自然とできるからです。

私は『声に出して読みたい日本語』という本を出したくらいで、

音読を非常に重要だと思っています。

言うなれば「音読勉強法」——。

ここで明言しておきましょう、

音読をしながら勉強したことは忘れにくいということを。

知識として記憶したことを、常に取り出し可能な状態で、

"記憶の引き出し"に収納しておくことができるのです。

いつでも自由に使える知識を増やすためにも、

音読で記憶力を鍛え上げましょう。方法はおもに3つ。

①勉強に最適な「音読」

②音読CDで英語をマスター

③高速音読で脳は高速回転

28 勉強に最適な「音読」

受験勉強と音読は一見、関係ないように思えるかもしれませんが、それは認識違いも甚だしい。

「音読ほど受験勉強に効果的な勉強法はない」

と言ってもいいくらいです。

なぜならテキストにある「覚えなければいけない知識」というのは、単に黙読するより、声に出して読んだほうが格段に記憶に残るからです。

「3回も読めば、イヤでも頭に入る」

と私は思っています。

話は少々横道にそれますが、私がそんなふうに重要視している音読が、学校教育のなかで軽視されているように思えてなりません。

たとえば世界史の授業。生徒たちに教科書を音読させる先生は少数派でしょう。だいたいはまず「教科書を開いて」と言って、いきなり先生が説明を始めます。

教科書にある文章というのは、優れた歴史家が寄ってたかって練り上げた、寸分のムダもない、見事な文章です。無味乾燥というか、あんまり魅力的ではありませんが、知識を習得するには非常に優れた文章なんです。それを授業で使わない手はない

でしょう。

　一番いいのは、生徒みんなに教科書を音読させてから、先生が噛み砕いて解釈したり、補足の説明をしたりする。そうして次の項目に移って、また生徒みんなに音読させて……というふうに進めていくことなんです。

　最近は国語の授業でさえ、音読せずに説明を始めるケースがあるようです。これはもう"論外の外"。

　たとえば宮沢賢治の「永訣の朝」という詩を読むときは全員で3回音読して、先生の説明があって、またみんなで1回音読する、くらいでちょうどいい。

　理想を言うなら、7、8回は音読して欲しいところ。そこまでやって初めて、宮沢賢治のすごさが身にしみてわかるのです。

　先生が説明ばかりしている国語の授業を見聞きするにつけ、私は怒りさえ覚えます。

「なぜ漱石の文章をみんなで音読しないのか」

「なぜ中島敦の『山月記』をみんなで音読しないのか」

「なぜみんなで音読せず、順番に当ててひとりずつ読ませるのか」と。

　閑話休題。音読はインプットとアウトプットがセットになっているので、テスト勉強にも効果が絶大です。

　自分のペースでテキストを、意味を取って内容を理解しながら音読しましょう。

　それによって得た知識は、音読というアウトプットを経て、記憶に定着させることが可能になります。

29 | 音読CDで 英語をマスター

「朗読CD」「CDブック」「オーディオブック」などと呼ばれる
ジャンルがあります。俳優などが1冊丸ごと朗読したものです。

　同じ名作でも、耳で聞くのと、目で読むのとは違った味わいが
あるものです。

　そういった「朗読CD」のなかで、英語の勉強の教材になる
のが、海外文学の"全文音読もの"です。

　たとえばアガサ・クリスティの『オリエント急行殺人事件』。
朗読スピードは非常に速いけれど、一語一語の発音が明瞭で、
メリハリもきいているので、意外と聞きやすいかと思います。

　もっともただ聞くだけでは、100回流してもさっぱりわかりませ
ん。音が聞こえていても、意味をなさない音の連続にしかならな
いのです。

　そうならないようにするためには、朗読を聞く前に、まず翻訳を
1章分読む。それでだいたいの意味を理解しておくと、意味を取
りながら朗読を聞くことができます。

　それもいきなり全文通しだと大変なので、**1章ずつテキストを
読んでは、朗読CDを聞いて……**というふうにやるといいでしょ
う。3、4回繰り返し聞くうちに、テキストを見なくても「英語を聞
いた瞬間、日本語に変換する」ことも可能になります。

実際、「朗読CD」を使って英語のリスニングの勉強をしたところ、センター試験も東大の試験もリスニング満点だったという人もいます。トライする価値はあるでしょう。

　また余裕があれば、朗読と合わせて、自分も音読してみては？　朗読のプロのスピードについていくのは大変ですが、挑戦のしがいはあります。スピーキング能力を磨くこともできるはずです。

いますぐやってみよう！

　「朗読CD」を使って英語の勉強をしましょう。CDを選ぶ際は、第一に「要約していない版」にすること。原作の世界観とともに臨場感あふれる英語が学べます。

　また何冊も手を出さず、自分との相性や好みで「これ」と決めた1冊を繰り返し、徹底的に勉強してください。「この単語のあとにはこの単語がくる」と覚えこんじゃうくらいに。ストーリーといっしょに英単語の語彙を増やすことが可能です。

　推薦図書は『チャーリーとチョコレート工場』『アナと雪の女王』、フランス語なら『星の王子さま』。そう高額ではないので、何冊か聞きながら、自分に合う1冊を見つけてください。

30 │ 高速音読で 脳は高速回転

　失礼を承知で申し上げると、ほとんどの人は自分が思っているほど頭を使っていません。出力されるエネルギーはおそらく、100あるうちの20がせいぜいでしょう。

　それは、大学で20年、30年教えてきた私の実感。頭の回転が速いはずの大学生でさえ、人の話を聞くときも、下手すると自分が話すときも、頭を使わずにぼーっとしがちです。

　教師だってそう。講習会などに行くと、「速くしゃべれば10分で終わる内容のことを1時間近くかけて説明する」なんてこともあるくらいです。資料が揃っていて、説明内容もすばらしいのに、残念ながらしゃべるスピードが遅いのです。

「もっと速くしゃべってくれても、聞くほうは私だけでなくみんな、理解できるのに」

　と思うこともしばしばです。

　そういう意味では、**「早口はサービスである」**とも言えます。少なくとも自分の話すスピードが遅いせいで「他人の人生の時間を奪う」ことはありませんから。

　まぁ、早口の人に対して「もっとゆっくりしゃべってくれ」と言う人はいるでしょうけど、自分のしゃべりが「聞き取れない早口」ではなく「聞き取れる早口」なら、気にすることはない。心の中

で言い返してください、「すみません、聞く頭をちょっと速くしていただけますか?」と。

　しゃべる前にひとこと言っておくといいでしょう。
「お話ししたいことがたくさんあるので、ちょっと早口でいきます。みなさんも"高速聞き取り"のスタンバイをしてください」などと。

　私は「学生たちの脳を目覚めさせる」必要から、脳の高速回転に慣れるトレーニングをしてもらっています。

　題して **「1分間速音読」**──。

　テキストを1分間、可能な限り速く音読する、というだけのものですが、けっこう大変。速ければいいというものではなく、間違えないよう話さなくてはいけないからです。

　そうして「速度」と「ミスなく」を意識すると、頭は間違いなく高速回転します。この高速回転した状態を覚えておいてもらい、それがふつうの状態になるまで訓練するのです。

　これは非常に効果が高い。以前、子どもたちに「高速音読を6時間続ける」という過酷なトレーニングに挑戦してもらったことがあります。結果、彼らは疲れるどころか、トレーニング前にも増して元気になりました。

「頭の回転が速くなると、人は元気になる」

　ことが立証されたわけです。

　脳力の高い人というのは、脳が活性化されているから、どうしても早口でダーッとしゃべりたがるのです。あなたも高速音読トレーニングで、高速回転する脳を手に入れてくださいね。

知識を
つなげて
文脈をつくる

東大の入試問題は、どの教科も論述式が中心です。

よくあるのは、「次のなかからいくつかキーワードを選んで、

○○について200字以内で説明しなさい」みたいなスタイル。

その場合、あげられているキーワードが何なのかがわかっていて、

かついくつかのキーワードが選べて、

さらにそれらをつないで文章にできなければなりません。

そこで問われるのが「文脈力」──。

知識をバラバラと暗記しているだけでは太刀打ちできません。

文脈を理解する能力というのは、実はビジネスにおいても、

コミュニケーションやプレゼンテーション等に関わってきます。

文脈力なくして、勉強も仕事も結果が出ないと言っていい。

どうすれば文脈力を身につけることができるのか、

3つの観点から勉強法を考えましょう。

①勉強＝文脈づくり
②キーワードをつなげる
③自分で問いを立てる

31 | 勉強＝文脈づくり

「文脈力」とは何でしょう？　簡単に言うと、
「話や文章の流れを理解し、考えたり、発言したり、論理を構築
したりすることのできる能力」
　を意味します。
　逆に「文脈力のない人はどういう人か」を考えると、いっそ
うわかりやすいかもしれません。たとえば、

「筋道立てて話ができない、文章が書けない」
「話があちこちに飛ぶ」
「質問されるとトンチンカンなことを答える」
「文章や人の話を正しく理解できない」
「枝葉末節の話ばかりで、結論が出ない話をする、文章を書
く」
「自分以外の誰も理解できない話をする、文章を書く」

　といったところでしょうか。
　こういう人はテストに臨んでも問題の意味を理解できないし、
論述式の答えは支離滅裂になるし、人間関係においては意思
の疎通をはかるのがとても難しい。
　厳しい言い方をすれば、文脈力のない人はそれだけで大人と

してアウトなのです。

　でもそう落胆することもありません。**勉強することそのものが、文脈力を鍛えることにつながる**からです。

　たとえばテスト勉強にしろ、教養を高めるための勉強にしろ、勉強の柱になる「本を読む」ことを考えてみましょう。
　本を読むときは誰しも、文字を追いながら話の流れ、つまり文脈をつかみ、文章を咀嚼しながら、著者が何を言いたいのかを理解しようとしますよね。その流れのなかで、

「いまはこういう状況だな」
「こういう原因・経緯から、この結論が導きだされたんだな」
「この発言の背景には、こういう思いがありそうだな」
「あのエピソードはこういう展開の伏線だったのか」

　など、さまざまに考えるでしょう。
　つまり文字を追っている間中、常に頭を働かせていないと、本を読むことはできないのです。
　無意識かもしれませんが、本を読んでいる間は考えることの連続。言い換えれば、
　「ひとつひとつの文脈を理解するまで、粘り強く思考を続けている」 わけです。

　こうして本を読むことで「思考の粘り」が鍛えられると、あな

たは間違いなく**「文脈で考えることのできる人」**になります。具体的には、こういうこと。

- テストにおいては、問題の意味をきちんと理解し、出題者の求める答えが出せる。
- テストの論述問題に強くなる。
- 仕事でも、プライベートでも、あらゆるコミュニケーションの場で、常に人の発言を文脈の流れのなかで理解し、発言することができる。

　ただし注意するべきは、自分の文脈で主張するにしても、まず優先的に「相手の文脈を理解する」ことです。
　でないと、自分の考え・言い分ばかりを押しつけることになります。私は以前、これで失敗しました。相手の文脈に関係なく、自分の文脈で話すために、互いの考えをすり合わせる機会を失ってしまったのです。
　結果、どうなったか。互いが異なる文脈で話すために、考えはどこまでも平行線をたどり、結論が出ないままに時間切れ、解散、ということを繰り返したのです。
　さすがに私も「こんな不毛なことを繰り返してもしょうがない」と気づき、以後は発言方法を変えました。**「相手の文脈に沿って話す」**ことを心がけたのです。
　「あなたの考えはこうですね。なるほど一理あります」
　などといったん受け入れて、「あなたの文脈は理解しました」とアピールしたうえで、

「ちょっと視点を変えて、こういうふうにも考えられませんか?」

として、自分の文脈に基づく考えを述べるのです。

こちらが下手（したで）に出れば、相手だって「場合によっては、君の文脈に乗ってもいいよ」という気になるもの。やがて互いの文脈の間に接点があることに気づき、実りある議論ができます。

いずれにせよ文脈力は、文字によって鍛えられるもの。ユーチューブの面白画像をどんなにたくさん見たところでダメですが、本を読めば確実に身につき、強化することができます。

「自分に文脈力があるのか、ないのか、ちょっと不安なんだよ」

と思う人は、勉強をがんばり、本をたくさん読むようにしてください。イヤでも文脈力が身につきます。

いますぐやってみよう!

テストの問題文や新書などを読み、200字に要約する練習をしましょう。「文脈をつかむ」力を強化するトレーニングになります。

32 キーワードをつなげる

　文脈に沿って発言したり、文章を書いたりするとき、一番のポイントは**「3つ程度のキーワードを決める」**ことです。

　それさえ決めれば、あとはキーワードをつなげていくだけ。文脈に乱れが生じることなく、一貫性のある話・文章がつくれます。

　なぜキーワードが必要か。

　それは、文脈というのは「こういう流れでいこう」と決めていても、うっかり話が脱線したり、思わぬ方向に流されていったりすることがないとも限らないからです。

　そうならないように、発言や文章の流れをきちっと決め、その方向性の道標となるキーワードを杭のように打ち込んでいく、ということです。

　このいわば「キーワード再生方式」を基本にすると、勉強は必ずうまくいきます。テストでも高得点が取れるし、ビジネス上のコミュニケーションやプレゼンに応用して成果を上げることも可能です。

　たとえば「1929年に起きた世界大恐慌から第二次世界大戦に至ったプロセスを述べなさい」という問題が出たとします。

　何もキーワードが思いつけない人は、「ふー」と肩を落とすしかありませんよね。文脈が描けないから。

けれども「1929年大暴落」「ブロック経済」「ファシズム」などのキーワードがあれば、スムーズに話を展開できます。

「第一次大戦後の好景気に浮かれたアメリカで1929年、ウォール街の株式市場が大暴落するという事態が発生した。これが全資本主義国に波及。世界経済はブロック化の方向に進み、ファシズムの台頭を招き、第二次世界大戦の原因にもなった」

みたいな文脈が整いますよね。

そのなかで世界大恐慌が起きる原因の考察や、どういう現象が起きるのか、有効な対応策は何なのかなどを、ひとつなぎで説明できれば満点！　さらに近年のリーマンショックの話題などにもつなげられれば、いっそう「大人だな」という感じがします。

この例は知識レベルがかなり高度なものですが、発言でも文章でも、自分の考えを論述するときはすべて同じ。大事なのは「キーワードをつなげて文脈にする」ことです。

前項と同様、テストの問題文や解説文、新書などを読んで勉強しながら、「要点をつなげて要約する」練習をするといいでしょう。

キーワードを
つなげよう

33 | 自分で 問いを立てる

　勉強することの大きな楽しさのひとつは、「さっきまで知らなかったことがわかるようになる、その理解のプロセスをたどる」ことにあります。

　これがそのまま「文脈力」につながります。なぜなら「理解のプロセス」にこそ、知識の獲得に至る文脈があるからです。

　そこを実感していただくために、私は大学での授業に **「発問する」** という手法を取り入れています。

　教材をもとに自分で問いを立て、キーワードをつなぎながら、答えとしての文脈をつくるのです。授業ではグループワークとして、これに取り組んでもらっています。

　たとえば三島由紀夫の『金閣寺』を、あらかじめ全員に読んでもらいます。そのうえで「問いをつくってみよう」という課題を出します。すると、

「主人公はなぜ金閣寺を焼いたのか」
「友人の柏木はなぜ、吃音障害のある主人公に対して、『どもれ、どもれ』とけしかけたのか」
「美しい精神を持つ友人の鶴川が自殺したことは、主人公の心にどんな影を落としたのか」

など、さまざまな問いが立てられます。

それらの問いを持ち寄って、4人1グループになってひとりが発問、ほかの3人が自分の解釈に基づいて答えます。そして最後に、発問者が用意してきた答えを発表。そこから議論を始めます。

解釈はさまざま。「正解」はあってないようなもので、グループのメンバーの4人4様の考え方があるのがおもしろい。議論を進めていくなかで、作品に対する理解も深まります。

もちろん発表では、筋の通った話が求められますので、文脈力も自然と鍛えられます。

この"発問トレーニング"はグループでなくてもできます。家族や知り合い、友人を相手に、たとえば「突然ですが、クイズです。江戸幕府はなぜ265年も続いたと思いますか?」などと質問するのです。

わかった人には答えてもらい、わからなければ3秒で時間切れにして自分で答える、というスタイルです。クイズというのは相手をおもしろがらせることもできるし、逆にイラッとさせる一面もあります。

なので嫌われないよう、「答えをじらさない」「あらかじめ1分以内で端的に話せる答えを用意する」ことはお忘れなきよう。あと、「日本はなぜアメリカのような銃社会にならなかったのか。それは秀吉が刀狩りをやって、庶民は武器を持たないのが当たり前の社会をつくったから」

みたいな、ちょっと知的でおもしろいネタを提供することを心がけましょう。質問を考えること自体が勉強にもなりますからね。

使って覚えて
"ザル頭"から
脱出する!

東大生は授業が終わるとすぐに、

友だち同士で講義について意見交換のようなことをします。

「先生はこう言ってたけど、僕は別の観点から、こういうことも言えると思うんだよね。君、どう考える?」

というふうに。それによって復習ができて、

しかも人によって異なる考え方にも触れられるわけです。

東大生はごく自然に、「互いに話をすること」で、

記憶を定着させることを習慣化していたのでしょう。

このように、得た知識をすぐに何らかの形で

アウトプットするのは、記憶力を増強する王道のようなもの。

次の5つの法則を実践し、

せっかく得た知識が素通りする"ザル頭"から脱出しましょう。

①知識の過剰に飽きる

②聞きかじりでいい

③SNSで"ライブ配信"する

④知識をコント化する

⑤燃費のいい頭をつくる

34 知識の過剰に飽きる

　ニーチェの『ツァラトゥストラ』の最初の節に、こんなくだりがあります。

**　見よ、わたしはいまわたしの知恵の過剰に飽きた、蜜蜂があまりに多くの蜜を集めたように。わたしはわたしにさし伸べられるもろもろの手を必要とする。**

　ツァラトゥストラは30歳になったときに故郷を捨て、山に入りました。そこで10年間、飽きることなく孤独を楽しみ、精神世界に遊んだのです。
　ところがある日、彼の心に変化が起こります。それを具体的に表わしたのが上の文章。噛み砕いて言えば、
　「10年に渡って貪るように頭に詰めこんだ知識が、もうあふれ返っている。この過剰なまでの知識を受け取ってくれる人が必要だ」ということです。
　ツァラトゥストラだって、山のなかで暮らす孤独に寂しさを禁じ得なかったのかもしれませんが、それより何より知識や知恵を蓄積する一方の勉強には飽きたのだと思います。
　だからツァラトゥストラは、「自分が知と出合ったことを誰かとともに喜び合いたい。得た知識のすべてを誰かに伝えたい」と

いう思いに囚われたわけです。

　私自身、常日ごろから『ツァラトゥストラ』のこの部分を引用・アレンジして、自らにこう言い聞かせています。

「教師は蜜蜂たれ」と。

　蜜を集めすぎた蜜蜂が差し伸べられるもろもろの手を求めるように、私は学生たちに「もう手が蜜でべとべとなんだよ。全部、持って行ってくれ」とお願いする、そんな教師でありたいのです。

　あなたたちにも、このツァラトゥストラにあるような**「知識を伝えずにはいられない」**状態になっていただきたい。

　一度頭に入った知識は、アウトプットを経て初めて、脳内で記憶に変化していくのです。アウトプットはつまり、知識を記憶に定着させる触媒のようなものなんですね。

　アウトプットの重要性に関しては、まずそこを認識しておいていただければと思います。

35 聞きかじりで いい

「聞きかじりでものを言うのは良くない」

とはよく言われること。

たしかにちょっと耳にした話を、あたかもその情報に通じているかのように知ったかぶりをしたり、不確かなことや間違ったことをいかにも正しいかのように言ったりするのは感心しません。

しかしそれでも私は、「おもしろい話を聞いたら、聞きかじりでいいから、即座に話す」ことを奨励したい。

とりあえず聞いたことを話せば、その内容がより記憶に残ります。それによって、正しいか、間違っているか、裏付けのある話かどうか、知識として浅すぎないかなど、気になることもいっしょに記憶に残ります。「あとでちゃんと調べる」ことも忘れずにすむのです。

つまり聞きかじりでも、その知識・情報をアウトプットすることで、より正しく、深く知るための行動が促されます。結果、聞きかじりの知識・情報がたしかなものになりうるのです。

たとえるなら、あなたは卸売市場のようなもの。たとえば生鮮食料品の場合、肉でも野菜でも魚でも、生産者はだいたい卸売市場を通して産品を消費者に届けますよね。

そのときに卸売市場がもっとも大切にするのは「鮮度」で

しょう。生産者から仕入れたそばから売るのが、理想的なスタイルです。

　市場にはだから、「今朝、とれたてのトマトだよ」「漁船でさばいた魚だよ」などの大声が飛び交っているのです。

　知識も同じ。**聞きかじりであっても、仕入れたてほやほやのうちに、高速で誰かにお届けするのが望ましい。**

　そうして「知識の鮮度」にこだわることが習慣になると、これまで何気なく聞いたり、読んだりしていた話が「すぐにお届けしたい知識」に変貌します。アウトプットを意識してインプットをするようになるのです。

　ようするに聞きかじりの知識だからいい・悪いではなく、聞きかじりでもいいから、即座に人に話せ、ということ。いいアウトプット循環をつくることができます。

　もっとも「あいつの言うことは受け売りばかりだ」などと評判が悪くなる危険もあるので、多少は質にも気をつけてください。あんまり自信のない知識・情報の場合は、言う前にひとこと、

　「聞きかじりなんだけどね」

　と断っておく。そして話し終えたら、

　「ま、事の真偽は調べて、後日また報告するよ」

　などと言っておくといいでしょう。

36 | SNSで"ライブ配信"する

「教える」ことはアウトプットのひとつのスタイルです。

その意味では、私たち教師はアウトプットがたやすくできる、恵まれた環境にある、とも言えます。

教師というのは言うなれば「知識欲のある子どもや学生、社会人たちを聞き手に、**話す喜びに目覚めた人**」。私なども一度教壇・演壇に立つと、話したいことが堰を切ったように口から出てきて、どうにも止まらないような状態になるくらいです。

「でも授業って、同じことを何回もしゃべらなくてはいけないし、毎年の内容にもそう変化はないし、飽きるんじゃない？　おもしろくないんじゃない？」

なんて言う人がいますが、とんでもない！

歌手の方がひとつのヒット曲を1000回、2000回歌っても決して飽きることがなく、しかも歌に向ける情熱が薄れるどころか濃くなっていくのと同じ。教師だって、授業でしゃべる内容はほぼ同じであっても、しゃべればしゃべるほど気持ちが盛り上がるのです。

また授業内容が、「去年と劇的に変わる」ことはないにせよ、まったく同じということもありません。私の場合は、2割くらい新しい知識を加えています。

たとえるなら「老舗の名店の秘伝のたれ」のようなもの。ベー

スは何10年も同じだけれど、適宜、少しずつ新しいたれを継ぎ足しながら味を守ってきた、そういう妙味が熟練の教師の授業にはあると思っています。

　以上は教師の話ですが、みなさんもこのワザを応用して、「話す喜びに目覚めた人」になることは可能です。

　ポイントは聞き手を持つことです。何か知識を得たら、いや得る前に、すぐにお届けする相手を想定しておくのです。

　でないと、知識の鮮度がどんどん落ちて、そのうち「あれ、何を教えたかったんだっけ」と、内容を忘れてしまいます。さらに時間が経つと、知識を得たこと自体を忘れてしまうでしょう。

　聞き手はひとりである必要はありません。むしろ複数いたほうがいい。相手が違えば、同じ話をしてもイヤがられることはないので、誰かに会うたびに"とれたての知識"を話す。そうすれば教師や、多くの講演をこなす人たちのようなプロに近いことができるではありませんか。

　喜ばしいことに、いまの時代、聞き手はたくさんいます。

　というのもSNSという強力なコミュニケーションツールを利用すれば、不特定多数の聞き手を想定した知識のアウトプットがいくらでもできるからです。

　SNSは文字がメインのツールなので、正確に言えば「聞き手」ではなく「読み手」ですが、「知識を提供する相手」という意味では同じ。この項では「聞き手」という言葉を使います。

　なにしろいまや「起きている間中、友だちと、あるいは面識の

ない不特定多数の誰かと情報のやり取りをしている」人が多い時代。とくに若い人にとっては、自分の考えや意見、情報なども「話し言葉」より「文字」で発信するほうがふつうの感覚でしょう。

　勉強法においてSNSを使ってコメント発信する一番の目的は、自分が得た知識の内容を誰かに伝えることで、「復習効果による記憶への定着を図る」こと。交信相手から少しでも反応が得られれば、なおさら記憶への定着度は上がることが期待されます。

　ただし内容的には、ちょっと工夫が必要でしょう。単に勉強したことを、「今日は○○について勉強しました。これこれこういう知識を仕入れました」などと説明するのでは、興味のない人は「それが何か?」とスルーしてしまうでしょう。専門知識ほど難しく、つまらないものはないからです。

　けれども専門知識には、身近な問題とからめて説明されると、たちまちおもしろくなってくる一面もあります。たとえば、

**　今日は公職選挙法違反について勉強しました。違反と知らずにやってしまいがちなことが意外と多いんですよね。たとえば「衆議院・参議院ともにひとりの候補者に対して、原則、選挙カーは1台、拡声器はひと揃えしか許可されていない」とか「選挙カーに乗りこめるのは4人までで、停車中以外は演説しちゃいけない」とか。ここでクイズです。選挙運動の乗り物として車以外に許可されているものがあります。それは何でしょう?**

といった具合。コメントを工夫することで、いっそう記憶に定着させやすくなります。ちなみに答えは「船」です。

　また**読書ネタは、SNSと相性がいい**ものです。たとえばLINEやツイッターなら、本を買ったところから"ライブ配信"するのもいい。
「この本を買いました」
「いまカフェで読み始めて、すぐにこんないい言葉に行き当たりました。こんな豆知識も得られました」
「1章読み終わって、こんなに勉強になりました。続きはまたあとで」
　というふうにコメントをばんばん送るのです。
　あるいはフェイスブックで、ある程度読み進めてから短い感想を書いて「おすすめ図書」として発信するとか、ブログで長めの感想文を書くとか、SNSは読書のアウトプットツールとしてさまざまに使えます。

　こんなふうに聞き手を想定すれば、アウトプットを前提にしてインプットをする習慣が身につきますよ。私から言葉をひとつ。
「人は学ぶ以上に、教えることによって成長する」──。

いますぐやってみよう！

　本を1冊買ってから読了するまで、一連の行動を、SNS経由でコマメに"ライブ配信"してみましょう。コメントを頻繁にアップするようになれば、読書＆勉強スピードも上がります。

37 知識をコント化する

　以前、何かのセミナーで、約100名の受講生にこんな問題を出したことがあります。

「2015年に重力波が発見されました。1915年ごろにアインシュタインが予言していて、本当に検出されたわけで世界中の人がびっくりしました。そのすごさを説明してみましょう。

　テーマは『すご過ぎるよ、重力波!』です。

　といっても、みなさん文系だし、わからないですよね。でもできることがありますよね。スマホで調べてみてください。わかったら、隣の人にワクワクしながら伝えっこしましょう」

　その後、第二の矢を放ちます。

「私が簡単に説明しましょう。ものすごく質量の大きな物体が超高速で動くと、空間や時間の流れがゆがんでしまいます。その運動が波として伝わる、それが重力波です。いまひとつ、ピンときませんよね。たとえるなら宇宙は大きなネットで、ブラックホールのような質量の大きな物体はボール。ネットにボールを落とすと、ネットにへこみができて波のように広がっていきますね。それが時空のゆがみで、重力が生まれる源となるものです。その先はややこしいので、考えなくてけっこう。私にも聞かないでください。それはさておき、重力波が観測できるようになったお

かげで、宇宙の誕生に近い瞬間まで遡ることが可能になりました。13億年前のこと、太陽の質量の29倍と36倍の巨大な2つのブラックホールが合体し、太陽3個分の質量をエネルギーとする重力波が発生し、地球に届いたと見られています。

　すごいドラマですよね？　では隣の人と組んで、いまのストーリーをショートコントにしてください」

　受講生はみなさん、さすがに絶句していましたね。でも「必ず2人で手を挙げて登場し、声を揃えて『ショートコント重力波!』と言ってください」とか、「2人はそれぞれブラックホール役になってください」「最後は13億年後の観測所を舞台にしてください」などと、ある程度のアドバイスをすると、上手にコント化できます。2人でぶつかって「時空がゆがんだ!」と叫んだり、観測所の場面で「アインシュタインの言っていたことは本当だったんだ。すごすぎる、アインシュタイン」という台詞で締めたり。

　大学生になると、ノーヒントでその場で「舞台は新宿。おねえさん、ちょっと待ってよ」なんてところから始まるクリエイティブなコントをつくれます。

　なぜコントづくりをやってもらうかと言うと、調べたことを絶対に忘れないようにしてもらうためです。命題をわかりやすく説明するためにコントまでつくれば、まぁ忘れることはないでしょう。「これは絶対に忘れてはいけない」というものは、コントをつくり演じながら楽しく覚える、というのもいい方法だと思います。

38 | 燃費のいい 頭をつくる

「アウトプットしたい」という気持ちは、新しい知識を得たことに対するワクワク感から高まっていくものです。

逆に言えばワクワクしながら勉強し、自分ひとりでは受け止め切れないくらいの興奮を覚えるから、「誰かに伝えたい」「SNSで発信したい」という気持ちになるのです。

私は常々、「ワクワクしなければ勉強じゃあない」と言っていますが、一歩進めて、

「ワクワクを人に伝えるのが、大人の勉強の基本である」

とも言えます。

ここでインプットとアウトプットを車の「燃費」にたとえて考えてみましょう。ガソリン・電気などの燃料がインプット、走行距離がアウトプットに相当します。

言うまでもなく、同じ距離を走るのに、燃料をあまり消費しないのが「燃費のいい車」、燃料をたくさん消費するのが「燃費の悪い車」。言い換えれば、少ない燃料で遠くまで走るのが「燃費のいい車」、大量の燃料を使っても大して遠くまで走れないのが「燃費の悪い車」ですよね?

同様に、勉強して大量の知識をインプットしたとして、その20%しかアウトプットしなければ「燃費の悪い勉強」、100%ア

ウトプットすれば「燃費のいい勉強」ということになります。

　もとよりインプットは、アウトプットがあってこそのもの。頭に溜めても意味がない……というより"記憶の海の藻屑"になるだけです。インプットした知識はアウトプットを経て再びインプットされる、その繰り返しのなかで記憶されていくのです。

　そうしてインプットとアウトプットの循環がスムーズになると、勉強の燃費はどんどんよくなります。

　私は中学・高校・大学と"受験経験"を積むなかで、いつのころからか「アウトプットを優先して勉強する」ようになりました。

「インプットした知識は、いつか使うだろうと思っても、そのときは来ない。人に話すなり、ノートに書くなりして、すぐにアウトプットすると決めて、インプットしなきゃダメだ。なんとなく100インプットするのではなく、100アウトプットするために100覚える方式でいこう」

　と決めたのです。

　結果、わかったのは「アウトプットした内容は、何年経っても忘れない」ということです。

　東大生を含め、勉強ができる人というのは、こういうやり方を自然と身につけているような気がします。

　みなさんも勉強するときは、アウトプットにちょっと洩れが出ることを見越して、**「100アウトプットするために120インプットする」**くらいの心構えでいるといいでしょう。

教養が身につき、
教養の幅が広がる
「東大勉強法」

「大人の勉強」には、5つのメリットがある

男も女も、人はいくつになっても、恋をすると、

ドキドキ、ワクワク……心がときめきます。

でもそのドキドキ感・ワクワク感を持つことは、

恋する人の特権ではありません。

実は「勉強する人」もまた、恋に似た

ドキドキ感・ワクワク感を持って幸せに生きています。

しかも勉強によって得られる知的興奮は、恋と同様、

若々しさを保つ妙薬にもなりうるのです。

試験勉強とはひと味もふた味も違う

「大人の勉強」には、おもに5つのメリットがあります。

①人生が豊かに楽しくなる

②幸福体質になる

③暇を持て余すことがなくなる

④地頭が活性化される

⑤人格が磨かれる

39 | 人生が豊かに 楽しくなる

　大人の勉強は**「ふしぎを訪ねる旅」**のようなものです。

　何かに興味を持って勉強を始めると、当然、知識が増えますよね。でもそれで脳が満腹・満足するかと言うと、そんなことはありません。知識が増えれば増えるほど、新たにわからないことが見つかるのです。

　「ふしぎ」が「ふしぎ」を生むと言いますか、「ふしぎ」を解決するごとに、次々と「ふしぎ」がわき出てくる感じ。そこに「汲めども尽きぬ勉強のおもしろさ」があると言っていいでしょう。

　本音を言うと私は、受験勉強がつらかった。一生懸命やりましたけど、試験のために暗記しなければならないことが多くて、ちょっと不自由な感じがしたんです。

　知識がバラバラとあるだけで、つなげていく必要がなかったことに、不満を感じてもいました。

　PART I でお話ししたように、試験勉強には試験勉強のよさがあるものの、受験生をやっていた当時はそう思えなかったのです。ムリヤリ散歩に連れていかれるワンちゃんみたいなもので、「もう、この首輪をはずしてくれーっ!」と叫びたい気分でした。

　ところが大学生になって、入学試験の縛りがなくなったとた

ん、状況が一変しました。見渡す限り教養があふれていて、自分が好き勝手に、自由に耕せる荒野に解き放たれたのです。

私はもうライオンがサバンナを駆け回って、獲物を食いまくるように、あらゆる分野の本を読みあさりました。

何よりもうれしかったのは、自分の好きな分野の教養を自由にチョイスできる、その自由を獲得したことです。奇しくもニーチェが『ツァラトゥストラ』のなかでこう書いています。

わたしの理性、それに何の取柄があろう。それははたして、獅子がまっしぐらに、獲物にとびかかるように、知識を熱望しているか。

この問いかけに、「大人の勉強」の理想形が潜んでいるようにも感じます。

自分の知的好奇心に突き動かされて取り組む勉強は、試験勉強と違って義務感がまったくともなわない分、自由で楽しいものです。と同時に、勉強の副産物たる教養は心の豊かさをもたらします。それこそが「大人の勉強」をする大きなメリットなのです。

自分を「勉強嫌い」だと思う人も、多くは「試験のための勉強が嫌い」なだけではないでしょうか。

大人はすでに試験から解放されています。この事実に気づいた瞬間、目の前に広がる試験とは無縁の"教養荒野"が見えてくるはず。そこに散在する教養という人生を楽しく豊かにする"餌"を求めて、獅子になった気分で狩りに出かけようではありませんか。

40 幸福体質になる

勉強は幸福感をもたらしてくれます。

子どものころはいい成績を取って、若手会社員の時代は仕事で成果をあげて、周囲から「すごいねぇ」「優秀だねぇ」などと褒められることが幸福感だったかもしれません。

資格試験に通ったり、検定試験に合格したりするのも、勉強はそれと似たような幸福感をもたらしてくれるでしょう。

けれども人生から「試験」の文字が消えて、勉強の質が「大人の勉強」へと移行すると、もたらされる幸福感の質も変化してきます。ひとことで言えば、**「知的興奮を得ることそのもので心が満たされ、幸せを感じる」**ようになります。

これって、おいしいものを食べるときの幸福感に似ていますよね。目の前においしそうな食べ物があると、まず目と鼻から食欲が刺激されます。これだけで"幸福ボルテージ"が上昇します。

そうして実際に食べると、味覚が刺激されて幸福感がさらに上がります。この幸福感はけっこう持続するし、反芻してはまたかみしめたくなるものです。

勉強だってそう。「あ、おもしろそうだな」と食指の動いた分野の勉強を見つけると、その瞬間に知的幸福が起きます。"幸福ボルテージ"がボンと跳ね上がるのです。

そうして勉強を始めると、楽しくてしょうがない。勉強している時間がそのまま幸福感に結びつき、"幸福ボルテージ"は上がる一方です。さらに「楽しいなぁ、おもしろいなぁ」という気持ちは持続し、「あの幸福感よ、もう一度」みたいな状況になります。

　さらに勉強して知識が増えると、ちょっとした刺激で知的興奮が起きやすくなる。それが私の言う「幸福体質」です。

　たとえば最近、「『源氏物語』の現存する最古の写本発見！」というニュースが話題になりました。発見されたのは「若紫」1帖で、光源氏が後に妻となる紫の上と出会う場面が描かれた重要な帖とあって、源氏ファンは色めき立ちました。

　でも『源氏物語』に関心のない人は、そんなニュースに目も留めないでしょう。知識がないために、知的興奮が起きようもないのです。何だかもったいないと思いませんか？

　多少なりとも知識があれば、「へぇ、源氏の写本って、いままでにどのくらい見つかってるのかな。調べてみよう」とか「展示されるなら、見に行こうかな」といった好奇心が起きますよね。結果、新たに「源氏を勉強する」という幸福感に浸ることも可能なのです。

　知的興奮が起こると、心はドキドキ・ワクワクでいっぱいになります。そんなときの人間は、表情が生き生きとし、若々しくなります。そう、知的興奮は若さの妙薬にもなるのです。

　命ある限り勉強を続け、人生をおもしろく、幸せに生きましょう。

41 | 暇を持て余す
ことがなくなる

　働いている間は忙しくて、「時間を持て余す」なんてことはほとんどないでしょう。暇を見て勉強すると言っても、仕事に必要な知識やスキルを身につけるための勉強で精いっぱいだったと思います。

　しかし年齢とともに、だんだんと自由になる時間が増えてくるのではないでしょうか。それを、

「認めたくないけど、年齢はあるよね。体力が落ちて徹夜はきついし、脳力も衰えたし、感性も鈍ってきたし、もう仕事の前線には立てないということかな」

　などと悲観的になることはありません。**これからの人生が豊かで実り多きものになるかどうかは、「時間」というご褒美をどう使うかにかかっている**のです。

　にもかかわらず、暇を持て余して過ごす中高年の方は少なくありません。とくに男性は、「時間は仕事で埋めるもの」という考えが身にしみついているのか、仕事以外の行動に価値はないかのよう。何をしていても「遊んで暮らしている」かのような罪悪感を覚える傾向があります。

　その点、女性たちは意気盛ん。自由な時間を手にした主婦たちを中心に、歌舞伎や演劇・ミュージカル・美術展・クラシッ

クのコンサートなど、いわゆる「高尚な趣味」とされているものを積極的に楽しんでいます。その種の"現場"は8割方女性が占めていると言っていいくらいです。

残念ながら男性たちは、「教養を磨く」という部分で、女性たちに大きく遅れを取っているようです。

もっとも「人生百年時代」と言われる昨今、さすがにシニア男性たちも変わってきました。少しずつ、

「仕事でなくとも自由な時間を充実して過ごすことはできる」

と考える人が増えてきたように思います。

それは喜ばしいこと。問題は「じゃあ何をやるか」です。

答えは簡単。仕事が暇になって、あるいは現役からリタイアしてできた膨大な時間を有意義に使う一番の方法は、勉強です。

どんな分野であれ、勉強をすると、向上心がどんどんわいてきます。そうして楽しい時間が流れるので、精神の安定が保たれるのです。間違っても、「生きていてもしょうがない」なんて無力感に襲われることはありません。

そもそも「毎日、充実してるな。人生、楽しいな」と思う人は、落ちこみようがないのです。どうか、

「勉強は人生を豊かにする最大の暇つぶしである」

というふうに、勉強を気楽に捉えてください。「楽しく、おもしろおかしく時間を過ごすには何を勉強しようか」と考えるだけでウキウキしてきませんか?

勉強に喜びを見出した、そのときからもう持て余している暇はなくなります。

42 | 地頭が 活性化される

「死ぬまで健康でいたい。元気でいたい」

とは、誰もが思うこと。昨今は「健康寿命を延ばしましょう」を合言葉に、健康への関心は高まる一方です。

この場合、大半の人が考えるのは「体の健康」でしょう。ジムに行って筋トレをしたり、マシンウォーキング・水泳・エアロビクスなどに励む中高年が増えています。

それはいい。すばらしいことです。でも欲を言うなら、

「ジムでトレーニングをして体を鍛えるように、勉強によって頭を鍛えて欲しい」

というのが私の願い。

体が死ぬまで健康であることと同じくらい、老いてなお頭のレベルを維持・向上させていくことが大事だからです。

これは、シニアに限った話ではありません。人間が子どものころから一生持ち続けたほうがいい価値観です。

もし「どうして勉強しなければいけないの?」と問われたら、相手が幼い子どもであろうが、50歳を超えたシニアであろうが、私は同じことを言います。

「それはね、一生しっかりした頭でいるためだよ。常に向上心をもって物事に取り組んでいくためには、何よりもまず勉強するこ

とが大事なんだ」と。

　とくに年を重ねて、頭を使う機会が減ってくると、いくら「地頭」
が優秀でも錆びついてしまいます。そうすると、「地頭」にいろ
いろな不具合が生じます。たとえば、

　　新しい知識・情報を吸収しにくくなる。
　　記憶力が低下する。
　　過去に記憶した知識までアウトプットしにくくなる。
　　思考の柔軟性が失われる。
　　感情のコントロールに乱れが生じる。

　などなど。もっと言えば、ボケを招く原因にもなるのです。
　だからいくつになっても、「地頭」を活性化するためにも、勉
強をしたほうがいい。
　勉強は何よりも頭に効く「アンチエイジング法」だと心得て
ください。

　ちなみに前のPARTで「試験に受かるための勉強」につい
てお話ししましたが、試験勉強ももちろんサビ防止になります。
試験に受からなくても、「地頭」が活性化されたのであれば、
それでよしとするのもひとつの考え方でしょう。

43 | 人格が磨かれる

「学んで知識を得ることと、自分で考えることを両輪にして生きなければ、立派な人格を形成することはできない」

これは孔子の考えです。仏陀、イエス・キリストと並んで「世界三聖」と称えられる孔子は、「仁」という最高の人徳は勉強することによって身につけることができるとしています。

孔子の言行を収めた『論語』にこんな言葉があります。

学びて思わざれば即ち罔し。

思うて学ばざれば即ち殆し。

本を読み先人に学ぶのと、自分で思考するのはどちらも必要ということです。

孔子を祖とする儒教の影響を強く受けた日本では、古くから「学問に励めば、豊かな人間性が形成される」と信じられてきました。だからこそいまの日本人につながる勤勉な国民性が養われた、とも言えます。

ただ残念ながら、現代人は「勉強と人格のつながり」をあまり意識しなくなっているような気がします。

現実に「勉強のできる人が人格者とは限らない」場合もあるので、つながりを感じにくい部分もあるかもしれませんね。で

もそうだとしたら、勉強の仕方がまずかった、学んで得た知識の運用方法を間違えたのでしょう。

きちんと学び、きちんと実行しさえすれば、必ず人格が磨かれると信じていいと、私は思います。

本PARTで紹介する「教養を身につけるための東大勉強法」は、勉強を通して教養の幅を広げていくものです。

本を通して、偉人たちが歩んだざまざまな人生を疑似体験したり、未知の世界を探訪したり、人間関係の機微に通じたり、時事問題に精通したり、いろんな分野の知識・情報を学ぶノウハウが満載です。

それらすべてが"人格磨き"に直結すると信じて、勉強に励んでください。そのときに忘れてはならないのは「楽しんで学ぶ」という姿勢。孔子はこうも言っています。

これを知る者はこれを好む者に如かず。

これを好む者はこれを楽しむ者に如かず。

勉強は楽しむのが一番。レッツ・エンジョイ!

「やる気スイッチ」が入る仕掛けを取り入れる

人生の最後に「勉強で満たされた一生であった」
と言えたらいいと思いませんか?

そのひとことが豊かな人生、豊かな心を象徴するよう。

ただ「勉強する意欲はあるんだけど、

なかなかやる気に火がつかない」、

そんなふうに嘆く人はたくさんいます。

やる気が起きるのをただ待っていても、

いっこうに"そのとき"は来ないでしょう。

ここは「やる気スイッチ」が入る

何らかの「仕掛け」が必要です。

「勉強欲」を刺激する3つの仕掛けを紹介しましょう。

①テレビは垂れ流すべし
②iPadと電子辞書を常に座右におく
③悩みや不安を勉強の推進力に変える

44 テレビは 垂れ流すべし

　私はテレビが大好きで、家にいるときはほぼつけっ放し。"ながら族"と言うか、仕事をしたり、本を読んだりしながら見ているのですが、気になる言葉や情報が出てくるとピッと反応します。これがいい。「へぇ」とか「おもしろい」「知らなかった」などと心が動く、その瞬間に勉強欲が刺激され、「やる気スイッチ」が入るのです。

　そうなると自然と、「ちょっと調べてみよう」「本を読もう」となって、勉強へと向かう準備が整うのです。

　テレビに関しては「ライブで見る」だけではなく、**全録レコーダー**を使って、自分の興味のある分野に関する番組を、局を問わずに全部、24時間、録画し続けることまでやっています。録画予約をする手間が省けて、とても重宝なんです。

　なぜ私が、そこまでテレビにつき合うかと言うと、単純に「好き」ということともうひとつ、理由があります。それは、**テレビを「新たな刺激が加わる仕掛け」と捉えている**からです。

　録画しているのはスポーツ番組や教養番組が中心で、このジャンルだけでも番組は山ほどあります。

　たとえばスポーツ中継なら、高校野球は全試合見るし、サッカー・プロ野球・ラグビー・テニスなど何でもござれ。プレイ

以外の時間をとばして、時間を短縮化して見ています。試合運びとかチームプレイ、心理戦等の妙があって、学ぶところが多いんですよね。

またプロスポーツ選手のドキュメンタリー番組は、好んで見ます。「一流」と呼ばれる選手たちがタフな精神力と体力を養ってきたノウハウとか、成績の浮き沈みにともなうドラマなどがあって、さまざまな生き方が疑似体験できます。

"倍速ウォッチ"は、教養番組などで利用しています。モタモタした説明のところは飛ばしたりしながら。

ほかに映画やバラエティ、ドキュメンタリーなどもたくさん見ていて、いまはもう「人生で見切れない」くらいの量になっています。テレビには本当に、教養の幅を広げてくれるいい番組が豊富に揃っているんですよ。

最近は若い層を中心に「テレビ離れ」が進んでいると言われていますが、何とももったいないこと。賢く利用すれば、テレビほど勉強になるツールはないと言っても過言ではありません。

勉強になる視聴方法はふたつ。

ひとつは、基本、家にいるときは垂れ流しにすることです。「流しながらもうひとつ作業ができる」のは、ネットにはない、テレビのいいところ。そうしてほかの作業をしながらも、ときに「ついテレビ画面に目がいく」ことがあります。そういう心にひっかかる言葉を拾うと、「やる気スイッチ」が入ります。

たとえばテレビを流していたら、たまたま『世界ふしぎ発見!』をやっていて、何となくシチリア島の情報に惹かれたとします。

「へぇ、いろんな民族に支配されてきた歴史があるんだな。シチリア文学とも言うべき独特の世界もあるんだね。えっ、マフィア発祥の地でもあるの？　がぜん興味がわいてきた」

　というふうに。これをきっかけに「やる気スイッチ」が入ると、シチリアの情報を集めるアンテナが立ちます。すると、

「おっ、NHKの『世界ふれあい街歩き』は今日、シチリアの回なんだな。録画しておこう」

　となって、知識への探求が複合的・立体的に立ち上がるでしょう。そうしてシチリア関連の知識がどんどん吸収され、気がついたらシチリアに非常に詳しくなっていた、ということもありえます。

　もうひとつのテレビ視聴方法は、私ほどではなくても、少しでも関心のある分野の番組をとにかく録画しまくることです。

「好奇心は熱いうちに打て」で、本当はあまり時間をおかずに録画した番組を見るのがベターですが、ムリすることはありません。録画した、という記録があれば、好奇心を再び呼び起こすことも可能でしょう。

　一番良くないのは、端から「せっかく録画しても、なかなか見る暇はないしなぁ。ま、いっか」と思って、録画をサボることです。それでは勉強する機会をみすみす逃すことになりますよ。

　あと、勉強の「やる気スイッチ」をオンにするためには、自分の好奇心や関心事だけ頼りにするのではなく、人がすすめる勉強テーマに乗る、というのもいいかと思います。

　自分の好みだけだと、どうしても範囲が狭まってしまうし、世の中には自分の知らないおもしろいことがいっぱいあります。

ほかの人の"勉強経験"にも目を向けたほうが、自分の"勉強世界"が広がりますからね。

ドイツの哲学者ヘーゲルが「人間の欲望は、他者の欲望を模倣したり否定したりするさまざまな関係性のなかで形をとっていく」と言っているように、誰かの勉強欲を模倣して自らの勉強欲を形成していくのもひとつの方法でしょう。

誰かが「これはいい。おもしろい」と言っているのを見て「やる気スイッチ」が入り、それに乗っかって勉強する。そうしたら、「なるほどおもしろい」となり、思いも寄らない新たな分野で自分の勉強欲が盛り上がる。そういうことがあるのです。

このように勉強欲というのは、きっかけさえあればスパークするもの。**「1日ひと刺激」**をモットーに、テレビや本から得た刺激を手帳に記録し、教養のための勉強につなげていただければと思います。

いますぐやってみよう!

「1日ひと刺激ノート」をつくり、毎日最低ひとつ、知的刺激を受けた事柄をメモしましょう。それを「勉強リスト」として活用しましょう。

45 | iPadと電子辞書を
常に座右におく

　幼い子どもは何を見ても、何を聞いても、「あれは何?」「どうしてこうなの?」などと質問してきますよね。

　あなたも子どものころはそうだったはず。知識がほぼゼロの状態ですから、すべてが未知のこと。素朴な疑問が次々とわいてくるのです。それこそが知的好奇心の原型でしょう。

　大人になるにつれて、その種の"発問力"が減退していきますが、じゃあ子どもの素朴な疑問に答えられるくらいに知識が増えたのかと言うとそうでもない。

　子どものころに持っていた知的好奇心が、いつの間にか「そういうもんなんだ」というある種の常識にすり替えられてしまった、というところでしょうか。

　「大人の勉強」は子どものころの無垢な知的好奇心を思い出すことから始まります。

　何と言っても勉強のおもしろさは、「さっきまで知らなかったことを知る」ことにあります。であれば、心にふとわいた疑問をそのままにせず、たちどころに解決していく、これほどおもしろいことはありません。

　昔と違っていまは、たいていの疑問に対する答えがすぐに出ますからね。昔は複数の辞典・事典をひっくり返したり、図書

館で本や新聞を閲覧したり、とにかく大変な手間がかかりましたが、いまは居ながらにして調べられるツールが揃っています。**「疑問をそのままにしておくほうが難しい」**くらいです。

現代人はとにかく「疑問が生じたら、即、解決できる」環境に恵まれているのですから、そのメリットを大いに享受すべきでしょう。

そこで私がおすすめしたいのは、「iPadと電子辞書」を常時座右におくこと。このふたつのツールがあれば、調べ物はほぼすべてクリアできるからです。

まずiPad。スマホでもかまいませんが、iPadのほうが画面が大きいのがグッド。私はA3の大きさのものを使っています。

スクロールせずとも、1画面で大量の情報を視野に収めることができます。老眼にやさしい設計ですよね。

このiPadを使って、わからないことが出てきたら、バンバン検索するのです。

仮に友だちとしゃべっていて世界情勢が話題になったとして、みんなが「あれ、どうだっけ」となることがありますよね。たとえば、

「アフリカの子どもたちが気になるよね。少しは飢餓状態から脱しているんだろうか」
「中東の情勢って、どうなってたっけ」
「こないだの即位の礼に何カ国くらいのロイヤルファミリーが出席したんだっけ」

「韓国との関係は、どこからこじれたんだっけ」

　等々。どんな問題であれ、キーワードで検索すれば、すぐに
ニュースサイトにアクセスして、情報が得られます。

　そうしてひとまず解答を得たうえで、「これじゃあ、まだ食い足
りないな」と感じたら、さらに検索を重ねてネット情報を集める
もよし、関連書籍を読むもよし。深い勉強に入っていく態勢を整
えることが可能です。

　また知識はあるんだけど、記憶があいまいなこともよくありま
す。たとえば「ガリレオとニュートンはどっちが年上だっけ？」
的な疑問。そんなときも「ま、いっか」ではなく、すぐに検索す
る。そうすると、あっという間に答えは出ます。加えて、

「ああ、ガリレオのほうが先だね。そりゃあ、そうか。でもちょっと
待って。ガリレオの死んだ年とニュートンの生れた年がいっしょ
だよ。ほー、ほー、知らなかった。何か運命を感じるよねぇ」

　といった発見をする場合もあります。

　こんなことが起こるから、勉強はおもしろくてやめられない。
iPadを使えば、なおさらです。友だちとしゃべりながら「あれ？」
を合図に検索して、検索しながら新しい知識を仕入れる。その
一連の勉強がスピーディに容易にできるのです。

　また第二のツール、電子辞書は、リビングなどに1台置いてお
きたいものです。

　手帳サイズの小さなボディに、広辞苑や漢和辞典、ことわざ
辞典、四字熟語辞典などの国語系の辞典をはじめ、英和辞典、

和英辞典、日本史・世界史の歴史事典、百科事典、植物図鑑、昆虫図鑑、家庭医学、薬の手引き、経済・経営用語辞典、パソコン用語事典、スピーチ文例集等々、驚くほど多種多彩な辞典・事典が収められています。

　一昔前なら、分厚い辞書・事典を何冊も本棚にずらりと並べて、あるいは机の上に積んで、調べたいことが出てくると、取り出してはページをめくる。それだけの動作が必要だったのに、電子辞書はキーワードを打ち込むだけで、一瞬にして求める説明が出てきます。いまでこそ当たり前に使っていますが、当時は革命的なツールだと感動したことを覚えています。

　電子辞書にあるのは「たしかな知識」。**わからないことに行き当たったら、まず電子辞書に当たるのが「勉強の王道」**です。リビングにこれがあれば、テレビを見ながら、あるいは家族と雑談しながら、わからないことが出てきたら気軽に調べることができます。勢い、リビングが"知的空間"に早変わりするでしょう。

　一家に1台、ぜひ常備しておいてください。

リビングに
電子辞書を
おこう

46 悩みや不安を 勉強の推進力に変える

　仕事のこと、家族のこと、人間関係のこと、健康のこと、お金のこと、将来のこと……みなさんもひとつやふたつ、悩みや不安を抱えて、日々を生きているのではないかと推察します。

　それは幸いです。

　悩みや不安のある人生は、ふつうは否定的に捉えますよね。大半の人は「悩みも不安もない人生のほうがいいに決まってるじゃないか」と思っているでしょう。

　けれども「勉強」という観点で見ると、悩みや不安があるのは実はいい状態なんです。

　なぜなら問題を解決するために、その糸口を求めて勉強するというアクションを起こしやすいからです。

　たとえば不運続きで、「もう自分は立ち直れないんじゃないか。苦労の多い毎日に耐えられないんじゃないか」と思ったとします。

　精神状態としては最悪。でも悩むということは「立ち直りたい。苦労を乗り越えたい」気持ちの裏返しでもあります。自然と、自分と同じようにつらい思いをして、どん底から這い上がった経験のある人の話を聞きたいという気持ちが動くのではないでしょうか。

その先にあるのが「極限を生き、乗り越えた人のノンフィクションを読む」とか「生き方を説いた本を読む」といった勉強です。

　あるいは「背が低い」「太っている」「髪が薄い」「キレイじゃない」「能力が低い」「引っ込み思案だ」など、何らかのコンプレックスを抱えて悩んでいるとします。

　そのまま苦しんでいるだけでは何も解決しません。「どうすればコンプレックスを克服できるだろう」と考え、いろんな解決策を模索するはずです。

　その延長線上で、やはりコンプレックスを軽減する知恵と工夫を教えてくれるハウツー本や、心の持ちようを教えてくれる啓蒙書などを読んだり、その分野のプロの講演を聞きに行ったりなど、勉強に精を出すようになるのです。

　このほか「日本の将来が不安だ」「介護問題はこの先どうなる?」「人口問題を深刻に憂える」など、社会に対する悩みや不安もあるでしょう。だったらまず現状を知る勉強をし、そのなかで自分に何ができるか、どう対応するべきかを考えるのみ。

　どんな種類であれ、悩み・不安の解決策はすべて、勉強に求めるしかないのです。逆に言えば、

「悩みや不安から生じるマイナス気分は、勉強するエネルギーに変換できる」

　ということです。現状を憂える前に、勉強する推進力を得たと喜びましょう。

教養を
身につける
３つの
ポイント

教養を身につけるための勉強は、

「好奇心」こそがエネルギー源になります。

何か新しい知識を得たときに、

「へぇ、そうなんだ。おもしろい」

「えっ、どうして？　どうして？」

「何か、すごく感動した」

というふうに心が動いたら、それは、

知識の種から好奇心の芽が出た瞬間です。

決して放ったらかしにせず、大事に育てましょう。

やがて教養の木が育ち、

枝葉を広げていくでしょう。

そうなればあなたも立派な教養人です。

教養の育て方のポイントは3つです。

①知識との偶然の出合いを利用する

②1テーマで本5冊

③「芋づる式勉強法」のすすめ

47 知識との偶然の 出合いを利用する

得られる知識には、2種類あります。

ひとつは、その知識を得ることが目的で、探し当てるもの。もうひとつは、ふつうに暮らしているなかで、たまたま得た知識です。

前者については、その知識を「求める」という意志が働いているので、うっかり"取りこぼす"ことはないでしょう。

だから大事なのは、「偶然の出合い」のほう。具体的には、

「たまたま会った人が話していたこと」
「たまたまテレビ・ラジオでやっていたこと」
「たまたま町で見かけたこと」
「たまたま書店で見つけた本のタイトルにあったこと」
「たまたま美容院で読んだ雑誌に載っていたこと」
「たまたま立ち寄った喫茶店のポスターで見たこと」
「たまたま新聞の書評欄で紹介されていたこと」

等々。ただたいていの場合、せっかく新しい知識・情報に出合っても、「へぇ、おもしろいな」で終わってしまいます。

そこをもう一歩踏み込んで、勉強というアクションにつなげるのです。それが**「好奇心を教養に結びつける」**ということです。

とはいえ、「好奇心を持つこと自体が難しいんですよ」と言

う人もおられるでしょう。とくに仕事一筋で来た人は「無趣味人間」を自認する傾向があるので、「好奇心」という言葉を耳にしただけで、「ムリ」と思ってしまうかもしれませんね。

　そう難しく考えないでください。どんなに無趣味な人でも、たとえほんのわずかでも、「これ、好きだな」「これ、ちょっとおもしろいな」と心が動くものはありますよね?

　それこそがあなたのなかでも機能している好奇心であり、立派な趣味なのです。

　ただし単に「好きでやっていること」というだけでは、趣味を勉強につなげることは難しいですよね。

　たとえば「好きで毎日、お酒を飲んでいる」としても、酔っ払う気持ちよさがありこそすれ、勉強をするには至らない。「好きで何かをコレクションしている」としても、ただ集めただけではゴキゲンになりこそすれ、勉強の楽しさは味わえない。そんな感じ。

　もちろん好きなことを楽しんでいる時間そのものも大切ですが、ちょっと違う視点から好奇心を呼び起こす"知識の種"を探すのです。お酒なら「酒米は産地や品種によってどう違うのか。磨きと味わいの関係は?」「酒造りのキーパースン、杜氏ってどういう人たち?」とか、コレクションしているものならその背景にある歴史や文化など、知らないことに目を向ける、といった具合に。

　好きなことに対しては好奇心・探究心を起こすのは意外と簡単なので、ちょっと意識するだけで大丈夫。好奇心が知識との偶然の出合いを呼び、それが勉強意欲につながって、教養という実を結びます。

48 1テーマで本5冊

　せっかく興味を覚えても、いざ勉強するとなると、どこから手を
つけたらいいかわからないこともあるでしょう。

　そんなときに「どうしようかな」と逡巡していると、あっという
間に時が過ぎ、「知識が増える前にめんどうくささが募って、勉
強する機を逸してしまった」なんてことになりかねません。

　勉強というのは始めさえすれば、どんどん知りたいことが増え
ていくもの。とにかくまず、本を読むのが手っ取り早いでしょう。
「おもしろそう」と好奇心が動いたら、その事柄を象徴するキー
ワードを勉強したいテーマに設定。関連する本をとりあえず5
冊、続けて読むといいでしょう。

　いま、「えー、5冊もぉっ?」と絶句しましたか?

　大丈夫、精読する必要はないし、「内容をしっかり、きっちり
頭に入れよう」と気負わなくてもけっこう。「どれどれ、ざっくり
読もうか」くらいの軽い気持ちで挑戦してください。

「手早く、楽しく、たくさん読む」ためのコツは、以下の3つです。

①飛ばし読み

　「2割読んで、その本全体が伝えようとしていることの半分以
上をつかめたらOK。読破したことにする」というふうに考え

てください。いわゆる飛ばし読み。大事だと思われるところを2、3ページずつピックアップしながら、飛ばし、飛ばし読んでいく感じです。難解だと感じたところは、ブロックごと飛ばしたっていいのです。「8割も捨てるなんて……」と思うかもしれませんが、最初からつっかかって読まずに放置するよりは、2割でも読んだほうがずっといいではありませんか。

②順番通り読まない

　最初の1ページから順番に読む必要はありません。目次をざっと見て、どこを読むかを決めて、強く興味を覚えるものから読んでいきましょう。本を読むときにはよく「最初の3ページで挫折した」なんてことが起こりがち。この方法なら、知りたいことの核心から入れるので挫折しにくいかと思います。

③線を引きながら読む

　読みながら「ここはポイントだな」「ここはおもしろいな」と感じたところに線を引いたり、キーワードを丸で囲んだりして、本をノート化しましょう。次に手に取ったとき、最初に読んだときの記憶がよみがえって、けっこう楽しいものです。「本を汚すと、古本屋に売りにくい」なんてケチなことは言いっこなし。チェックした本は、生涯の学習の友としましょう。

　どうですか、本を読むことのハードルが少し下がったのではないでしょうか。できれば本の内容や得た知識は忘れないよう、人に話したり、SNSでコメント発信したり、アウトプットしてくださいね。

49 | 「芋づる式勉強法」 のすすめ

「芋づる式」は、勉強を進めるときのひとつのキーワード。文字通り、芋づるをたぐると次から次へと芋が出てくるように、勉強でもひとつの興味ある事柄に出合うと、関連して多くのことに興味がわいてくることを意味します。

　そんなふうに芋づる式に出てくるテーマに沿って勉強を進めていくのが「芋づる式勉強法」。2通りのやり方があります。

　ひとつはアナログ方式。前項でお話ししたように、課題の答えを本に求めて、**いろんな本を読みながら、教養の枝葉を広げていくやり方**です。

　たとえばたまたま誘われて歌舞伎に行き、たちまちその魅力にはまったとします。

　最初のうちはだいたい、ひいきの役者が出演する舞台を観るとか、好みの演目を選んで観るなど、表層的な興味に終始するでしょう。

　でもだんだん、「もっとおもしろく鑑賞したい」気持ちが高まってくるはず。歴史のこととか、役者の系譜、衣裳、所作、修業、化粧、舞台の仕掛けなど、学べる知識はごまんとあります。

　それらを好奇心がおもむくままにひとつずつ、関連本を読みながら勉強していく。そうして基礎知識を固めながら勉強すると、

そのプロセスでまたまた別の興味の対象に出合います。歌舞伎ひとつ取っても、勉強するテーマが無限に出てくるでしょう。

　日本はある意味、「教養大国」なので、自分の知りたいことに関する本が見つからないことはほぼないと言っても過言ではありません。勉強の対象たる芋は、とてもじゃないけど食い尽くせるものではない、そこにも勉強の終わりのないおもしろさがあります。

　もうひとつの「芋づる式勉強法」は、デジタル方式。言い換えれば**「ネットで検索しまくる勉強法」**です。

「これ、何だっけ?」に始まり、「そうだ、そうだ。で、これは?」というふうに、わからないことをどんどん検索していく方法です。情報によっては「このことを知らない人はこちらへどうぞ」とジャンプまでできるようになっているので、疑問を即座に解決しながら、勉強がスピーディに運びます。

　たとえばテレビを見ていて、「田中正造」の名が出てきたとします。聞いたことはあるけれど、詳しいことは知らない場合は、iPadやPCですぐさま検索します。そこから、

「田中正造って有名だよね。何した人だっけ。(検索)そうそう、足尾銅山鉱毒事件という日本で初めての公害問題に取り組んだんだよね。でも政府は10年も無視し続けたって、ひどいじゃん。で、足尾銅山鉱毒事件って何だっけ、田中正造は具体的に何をしたんだろ。(検索)ふむふむ、こういう公害問題だったんだ。で、田中は議会でのらりくらりと追及をかわす政府に絶望し

て、最後の手段として天皇に直訴することを決断したのか。残念ながら、渡す前に捕まっちゃったけど。どんな直訴だったのかなぁ。（検索）へぇ、幸徳秋水が草案を起草して、正造が手を入れたのか。どれどれ原文は？　（検索）すごい、ネットで見れちゃうんだ」

　といった具合に検索を進めていくと、知識がどんどん深掘りされていきます。

　あるいは「織田信長はいくさの前に舞うシーンが、時代劇でよく出てくるよね。あれ、何だっけ？」というとき。私が学生のころは、友だちとこんな会話をしたものです。

「人間五十年……とかって歌いながら舞うんだよね」
「何ていう舞いだっけ？」
「えーっと、忘れた。たしか『信長公記』に出てたよ」
「ちょっと図書館で調べる？　書店で立ち読みする？」
「そうだね」（と足を使って情報を取りに行く）
「あ、あった、あった。『幸若舞』だ」
「どんな舞いか、説明がある、そこに？」

　知識にたどり着くまでが大変でした。
　でもネットのおかげで、いまは1、2度検索すれば、ユーチューブで幸若舞の動画まで見れてしまいます。
「おー、これが幸若舞か。信長はこんなふうに舞って、戦いに臨む心を落ち着けていたんだね」

欲しい知識にアクセスするまでの時間が非常に短く、しかも文字情報だけではなく画像・映像を含む詳細でリアルな知識がほぼタダで手に入るのです。

　このように、ネット検索は「芋づる式勉強法」を促すためにあるのではないかと思えるくらい、勉強に貢献してくれるものです。中高年にとっても検索が難しいということはないと思いますので、利用しない手はないでしょう。

　ネットを使ってあなたの頭のなかに、インターネットさながらの"知識網"を形成してくださいね。もっと知識の深掘りをしたいときは、合わせて本を読んで勉強するのがよいかと思います。

出てくる〜

いますぐやってみよう！

　「芋づる式勉強法」は、実は電子辞書でもできます。ジャンプ機能がついているので、情報をまさに芋づる式につなげていくことができます。試しに百科事典で「夏目漱石」を引き、著書をはじめさまざまな関連項目にジャンプしながら「漱石ワールド」を勉強してみましょう。意外とおもしろいですよ。

新書を軸に あらゆる分野の 知識にアクセス する

「大人の東大勉強力」は新書を軸にするのがいい。

なぜなら“新書ワールド”には、

ありとあらゆる知識が際限なく広がっているからです。

豊かな教養を身につけるための「大人の勉強」には、

新書はもってこいのテキストなのです。

知的好奇心のおもむくままに月に5冊の新書を読む、

これを目標にしましょう。

では、新書をどういうふうに楽しむか。

ポイントは3つです。

① 新書に馴染む

② 各分野に案内者を見つける

③ 目次勉強法

50 新書に馴染む

　これから新書を使って、じゃんじゃん勉強していただくためには、まず「新書に馴染む」必要があります。

　新書に関しては、もしかしたら"食わず嫌い"の人もいるかもしれませんね。

「何となく難しそう」とか、

「専門的な学術書っぽい本ばかり、というイメージがある」

「かたいテーマが多いような……」

　といった先入観があるのでしょう。

　しかし新書の歴史を開いた岩波新書は、1938年に創刊された当時から、「現代的教養」を目的としていました。決して専門書でも、学術書でもなく、一般向けに「現代人が身につけておきたい教養」をテーマとしているのです。

　たしかに昔は、1冊読み通すのが難しい部分はありましたが、いまはそんなに苦労することはありません。

　そもそも新書には、設定している読者の知的ラインというものがあって、「難しすぎる」ことはありえない。かといって、「小中学生でも読めますよ」なんて易しすぎるレベルもありえない。「大人の勉強」にフィットするレベルになっています。読んでみるとわかりますが、意外と読みやすいのです。

それに戦後は、さまざまな出版社から続々新書が創刊され、**「身近な教養書」**として、いっそう存在感を増しています。とくに2000年代に入ってからは、「新書の新刊が月に150冊以上出る」とも言われる状況になっています。

　ここまで"量産"されている以上、もはや"食わず嫌い"なんて言っていられません。**「新書を読まずして教養は身につかない」**と覚悟を決めてください。

　ですからまず苦手意識を取っ払って、とにかく新書に馴染みましょう。その場合の合言葉は、

「知りたいことは何でも新書に聞け」──。

　新書には、掛け値なしで「ないジャンルがない」と言えるほど、ありとあらゆる分野の教養が揃っています。

　それこそ「ラーメンからミサイルまで」というキャッチフレーズがつくくらい、多種多彩な品目を取り扱っていたバブル期の総合商社のよう。

　何か知りたいことがあったら、新書のラインアップから検索してごらんなさい。必ずその問いに答え、かつハイレベルな知識をも懇切丁寧に解説してくれる新書が見つかります。

「新書を読む」という能力さえ手に入れれば、すぐに50冊・100冊は読めるはず。それが爆発的な知識量になっていくのです。

　ほとんどの大人には「新書を読む能力」が備わっているの

ですから、読まないという選択肢はありません。「新書市場にあふれ返っている知的教養に触れない人生をよく平気で歩んでいけるな。それでは蟻と同じではないか」という話です。

私ではない、福沢諭吉が『学問のすすめ』のなかで言ってるんですよ。**「蟻の門人になるなかれ」**と。「ただ働いて死ぬだけの蟻のような一生を送っていはいけない。勉強に励み、世のため人のために尽すことを考えなさい」という意味です。

それではどのくらいの量を、新書読破の目標値として設定しましょうか。

私自身は若いころから尋常ではない量の新書を読んできました。「岩波新書を制覇するぞ!」という勢いで。それはあまりにも無謀な目標でしたが、その高い目標のおかげで読むスピードが加速したように思います。「新書に育てられた」というのが実感です。

もちろんいまでも"新書読み"は続いています。平均すると「1日1冊ペース」でしょうか。単行本・文庫本も含めて、本というのは読めば読むほど、知りたい知識が増え、それにつれて読みたい本も増えるので終わりがありません。

こんなふうに勉強は"ゴールなきゴール"を目指すものでもあるので、中高年の生き甲斐にもつながるわけです。

話が横道にそれました。新書読破の目標値ですが、当初は**「月に最低5冊」**が妥当ではないかと思います。

かかる費用は3500円くらいですね。出版文化に貢献する意味では新しい本を買っていただきたいところですが、経済事情

もありましょうから、古本でもけっこうです。

　神保町辺りでは、50円・100円で売られている本もあります。古本屋巡りをしながら“大量仕入れ”するのもまた楽しいでしょう。

　「月5冊」というのは、けっこう楽ちんなペース。移動のときや、ちょっとした空き時間にも読めるように、常に携行することがおすすめです。プラス、前に触れた「飛ばし読み」などを取り入れれば、

　「空いた1時間、カフェで1冊読めちゃった」

　「出張の移動、3時間で2冊クリアできたよ」

　といったこともありえます。

　そんなふうに仕事の合間に1冊、2冊読めた日には、「何か、今日は充実した1日だったなぁ」といい気分にもなれるでしょう。「読書日記」のようなものをつけると、なおさら勉強効果が高くなると思います。

　「月5冊ペース」に慣れたら、どんどんペースを上げてくださいね。

すき間時間を
使って読もう

いますぐやってみよう!

　「読書日記」をつけましょう。『新書日和』『新書だより』などのタイトルをつけて、ブログやSNS発信するのもいいですね。

51 各分野に案内者を見つける

　新書を読むという勉強法は、独学ではありません。著者という立派な先生がいます。その先生が**「知的興奮を引き起こす教養の世界への案内者」**になってくれるのです。

　独学はいけません。ゲーテは**「知識を正しく習得できず、見当違いになるから、やめたほうがいい」**と言っています。

　また兼好法師は、『徒然草』の「仁和寺の法師」（第五十二段）のなかで、**「少しのことにも、先達はあらまほしき事なり」**と書いています。これは、

「京都の仁和寺に住む僧が石清水八幡宮を詣でることを思い立ったのはいいけれど、八幡宮附属の極楽寺、高良神社などを拝んで満足し、肝心要の山上の八幡宮を拝まずに帰って来てしまった」

　というお話。道案内なしにひとりで行ったために、こんなマヌケなことが起こってしまったのです。

　そこから兼好法師は、「ちょっとしたことでも、自分が不案内であれば、先達や案内者にいろいろ教えてもらったほうがいいですよ」という教訓を導きだしています。

　勉強も同じ。"新書読み"は言うなれば、目の前に居並ぶそう

そうたる先達・先生たちから、良さそうな人を自由に選んで、講義を受けることなのです。

何という贅沢でしょう!

ポイントはあらゆる分野に、自分の知的好奇心にフィットする話をしてくれて、しかも心をワクワクさせてくれる案内者を見つけることです。

最初は手当たりしだいでけっこう。タイトル最優先でいいので、自分の知りたい事柄に答えてくれそうな新書を選んで、数冊読んでみてください。

十中八九、そう時間がかからないうちに、自分に合う先生が見つかります。

見つかったら次は、その先生の新書を3冊くらい読みます。似た話が多くなりますが、それはしょうがない。あることを説明するには、いろんな方法があるし、いろんなエピソードを例に引くことができるとはいえ、「一番はこれ」というようなものがあるのです。

それを「あの人はいつもこのエピソードだよね」と批判する人もいますが、重要なのはわかりやすさ。好意的に捉えましょう。たとえ3冊全部に同じエピソードが引かれていても、心のなかで著者に、

「その話、よく知ってますよ、先生。"鉄板ネタ"なんですよね。しっかり記憶に定着させました」

などと話しかければ、著者との距離もぐっと縮まります。

新書を読むときは、先生をリスペクトするのが基本。私の経験では、先生をバカにしながら読むと、知識が身につきません。

さて、私には分野ごとに、たくさんの案内者がいます。

　たとえばクラシック音楽なら、音楽評論家の吉田秀和さん。実は私、大学に入った当初はクラシック音楽にうとかったんですね。ところが回りの東大生がみんな、クラシック音楽の話が好きでして。

「ピアニストによって演奏がまったく違ってくるよね。バックハウスとホロビッツを比較するとさぁ……」

　みたいな話で、すごく盛り上がるのです。

　私はちょっとカルチャーショックを覚えました。「彼らはどんな高校生活を過ごしたのか。僕が通っていた田舎の高校の運動部には、こんな人たちはいなかったよな」と。

　それで「よし、勉強してみるか」と思い、先生として吉田さんをお迎えしたのです。

　何冊か読んでみてとてもおもしろかったし、わかりやすかった。クラシックの耳はなく、文字なら読めるという私に、「この曲なら、この指揮者、演奏家のものを聞きなさい。モーツァルトならこのオーケストラがいい。このCDとこのCDを聞き比べてごらんなさい」みたいな感じで、手取り足取り教えてくれたのです。

　私は吉田先生のおすすめ通りに数々の名盤を聞き、さらに著書を買いまくって音楽に関連する歴史や文学の教養にも触れました。

　吉田さんのような「知の巨人」的な案内者を持つと、教養の世界がパーッと開けます。

　このほか、美術の領域ならケネス・クラークさんや高階秀爾

174

さん、山田五郎さん、歴史関係なら磯田道史さん、能のことなら観世寿夫さん、江戸のことなら田中優子さんや杉浦日向子さん、道教については加島祥造さん、宇宙については村山斉さんや佐藤勝彦さんなどなど、私が本を通して私淑している先生は枚挙に暇がありません。

　あなたも"新書読み"を通じて、私淑させていただく先生を見つけてください。必ずや、複数の教養の世界が立ち上がり、いろんな先生と親しく交流することができるでしょう。

ボクの案内者たち

音楽　美術　能　歴史

いますぐやってみよう!

　気になるテーマの新書を数冊読み、あなたにフィットする著者を見つけましょう。そして、その著者の本を3冊読み、新しい教養の世界をひとつ立ち上げてください。

52 | 目次勉強法

　新書を選ぶとき、**「目次がよくできているかどうか」**を、ひとつの目安にするといいでしょう。

　読みやすく、理解しやすい本というのは、総じて目次もうまくつくっているからです。

　書店で、また目次検索が可能ならネット書店で、まず目次をざっと……ではなく**「じっくり」**見ます。

　具体的には、章タイトルを見て概要をつかみ、項目の見出し・小見出しを追う。そこにその本の言いたいことがキーワード化されています。

　そうやって目次を読み、自分が必要としている知識・情報を得られるかどうかをチェックするのです。

　それで「よし」となれば、購入決定。まずハズレはありません。

　たとえば「ハイデガーを勉強したい」場合、あの難解と評判の『存在と時間』を読むのはハードルが高すぎますよね。準備として、これを解説している新書を読むのが賢明です。

　そこで書店に行って、講談社現代新書の『ハイデガー哲学入門──『存在と時間』を読む』を手に取ったとします。目次を見ると、第一章に「何故、『主体』ではなく、『現存在』と

言うのか?」とあります。さらに項目を見ると、「世界的内在」というキーワードも出てきます。「現存在」と「世界的内在」という、実にハイデガーっぽい言葉が、この本を読めば理解できそう、使えるようになれそう、という予感が走るでしょう。また「死に向かって覚悟する先駆的決意性」や「不安と気づかい」など、人間の生と死に関することがまとまりよく書かれています。そこまで見れば、あとは、

「ふむふむ、この解説を読めば『存在と時間』の全体像がつかめるな。かつハイデガーは、人間は自らの存在を問う特別の存在だから、人間と呼ばずに現存在と呼ぶということかな。時間が死に向かって存在するという見方は、武士にも共通するかも」

　などと考えながら、読むだけで勉強の準備が整うのです。

　実際に読むときは、【48】でお話しした3つの読み方──「飛ばし読み」「順番通り読まない」「線を引きながら読む」を駆使してください。プラスおすすめしたいのは、

「目次を拡大コピーして、余白に読んだ内容を書きこむ」

　という勉強法です。

　これは以前、東大の友だちに教わったやり方で、「東大式」とも言えるもの。常に全体を理解しながら、自分がいま全体のどの辺りの知識を学んでいるかが理解できます。

　目次が「知のGPS機能」のように働くので、勉強するうちに頭がぐちゃぐちゃになることが防げます。私もこの勉強法を教えてもらったおかげで、効率よく勉強が進み、東大法学部を無事に卒業させていただきました。

身につけて おきたい ７教科 の知識

教養にはさまざまなジャンルがあります。

そのなかで自分が好きなこと、知的好奇心が動くこと、

感性にフィットすることなどを選び、

身につけていくことが「大人の東大勉強力」です。

どの分野を深く掘り下げていくかはあなたしだい。

本項では、「深めたい教養分野」を見つける一助として、

誰もが身につけておきたい「大人の教養」について、

科目別・推薦図書付きでお話ししていきましょう。

教科は次の7科目です。

①古典
②文学
③歴史
④芸術
⑤ノンフィクション
⑥理科系
⑦ユーモア

53 | 古典

　知り合いに「定年後は古典文学全集を読むのを楽しみにしてるんだ」と言って、40代のうちから本当に少ーしずつ読み進めていた方がおられます。「いいなぁ」と思いましたね。

　いざ定年になって「読むぞ!」と気合を入れても、なかなか大変な作業。ちょっと"助走"をつけておいたほうが、定年後の勉強にすんなり入れそうな気がします。

　でも"助走"なしでも大丈夫。要は「定年後の20年、30年を、古典を勉強して過ごす」と決めていることが大事なのです。「古典」というテーマなら、人生がいくらあっても足りないくらい。残りの人生をその楽しみで彩ることができます。

　古典というのは実は、シニアの勉強にとてもフィットするものなのです。そういう楽しみがあれば、うつになりにくいですしね。

　古典には和・洋・中があって、それぞれによさ・勉強するおもしろさがあります。ざっと述べていきましょう。

【和の古典】

　とっかかりとして一番やりやすいのは、『**枕草子**』と『**徒然草**』と『**おくのほそ道**』。1週間もあれば、十分に読了できます。

　古文というのはさほど難しくありません。角川やちくまなどから出ている、**全文に現代語訳のついている文庫本**を選べば、すら

すらと読めます。古文に慣れてきたら、"現代訳のない岩波文庫もの"に挑戦するのもよいかと思います。

『枕草子』は量に圧倒されないように。項目は膨大ですが、ひとつひとつが非常に短く、しかも清少納言がさまざまな事象をあげながら「ここが好き。ここは味わい深い。ここは興ざめ」と気持ちよく断じていくので、ずんずん進みます。読み終わると、「何だ、これで全部か」と、ちょっと拍子抜けするくらいです。

感性がとてもこまやかで、たとえば「蓑虫にはしみじみする。粗末な着物を着せられた子が父に置き去りにされたのにも気づかずに、秋になると『父よ、父よ』と心細げに鳴く」というような記述もあって、おもしろく味わい深いものです。

『徒然草』は、兼好法師が冒頭で「自分でもばかばかしくなるくらい、いろんなことを思いついてしまう」と前置きしているように、ユニークで多種多彩な視点から世の中を見ているのがおもしろいところ。また随所に、いろんな道の達人の話が盛りこまれていて、仕事を含めて人生を生きる知恵が得られます。

『おくのほそ道』は、カフェなどで1日に30分、40分、線を引きながら読むのに向いています。そういう1週間を過ごすと、芭蕉とともに旅をしている気分にもなれるでしょう。あと機会を見つけて、全文音読することをおすすめします。

また日本の古典は、**「文章を味わう」**のも勉強のひとつ。

『平家物語』はうってつけです。音読するとなおさら味わい深いものです。

　冒頭の「祇園精舎の鐘の声、諸行無常の響きあり。娑羅双樹の……」は、心地よい調べ。うっとりする一方で、意外と多い合戦場面では日本語の強さや勢いのあるリズムがあって盛り上がります。たとえば那須与一が、平家の女たちが小舟のうえでひらひら振る扇に矢を射る場面とか、熊谷次郎直実が涙ながらに立派な若武者である敦盛の首を斬る場面など、合戦にまつわる情感あふれる名場面がいっぱいです。

　私は『平家物語』を音読していると、小泉八雲の『**耳なし芳一**』が想起されます。「芳一が平家の亡霊たちに呼ばれたのはわかるなぁ。琵琶をかき鳴らしながら歌う壇ノ浦の合戦の場面には、亡霊ならずとも涙するなぁ」などと思います。つい琵琶法師のCDを買ってしまいました。いまはユーチューブでも琵琶法師の演奏が見られるので、より深い勉強ができますよね。

　こういうのが大人の贅沢な勉強法。古文にはまって勉強すると、すごく豊かなものに触れたいい感じが得られます。

【洋の古典】

　古典は人間の悩みを解決してくれるものでもあります。なぜなら人間というのは何百年、何千年も前から、同じようなことで悩んできて、すでに解決策が文学という形で提示されているからです。

「洋の古典」からは、その観点でぜひ読んでいただきたい戯曲をふたつほど紹介しましょう。

ひとつ目は、ソポクレスによるギリシア悲劇『**オイディプス王**』。筋は少々ややこしいけれど、テーバイという国に生まれ、赤ん坊のときに捨てられたオイディプス王が、「知らなかった」とはいえ、父を殺したり、実の母と交わって子をなしたり、運命を呪いたくなるような不幸に見舞われる話です。

　ここまでの悲劇はなかなかあるものではありません。それだけに読むと、強く心を打たれます。と同時に、悩める自分の心のしこりが涙とともに浄化されるように感じます。

　もうひとつは、シェイクスピアの『**リア王**』。3人の娘に過大な期待をしたために裏切られたリア王が、絶望して嵐のなかをさまようシーンは圧巻です。老後の生き方や心構えを考えるうえで、参考にもなります。

　もちろん戯曲だけではなく、「洋の古典」には「本質を見る目」を養ってくれるものが豊富にあります。とくに自分の頭で思考する方法を教示する『**方法序説**』（デカルト）と、きれいごと抜き・現実的視点から人の本質を説く『**君主論**』（マキャベリ）は、「大人の勉強」の必須科目とも言うべきテキストでしょう。

【中の古典】

　洋の東西を問わず、古典は何百年、場合によっては何千年と長い間愛読されてきたもの。そこにある言葉・文章のひとつひとつに「不変の真理」が貫かれています。時代の価値観に左

右されず、現代人の心にも生き生きと語りかけてくるのです。

　なかでも中国の古典は、「心の杖」ともなる名言の宝庫。全部読むとなると気が重くなってしまうので、"つまみ食い"感覚で気楽に挑んでください。

「大人の勉強」の一般教養として、一度は目を通しておきたい中国の古典はふたつ。中国古典思想の二大潮流、儒教と老荘思想を代表する書物です。

　ひとつは、愛読者・愛唱者が圧倒的に多い超ロングセラー『**論語**』。孔子の言行録であるこの本は、日本人ならほとんどの人が、"かじった"ことがあるでしょう。

　たとえば**「己れの欲せざる所、人に施すこと勿れ」**という言葉があります。これは孔子が人格形成のためにもっとも重要だとしていること。「言うは易く、行うは難し」ですが、人間関係のトラブルの原因はほとんどがここに端を発しているものです。人間は年を重ねるにつれて自分勝手な言動に終始しがちなので、戒めとしたいところです。

　ほかにも**「一以てこれを貫く」**は信念が揺らぎそうなとき、**「知者は惑わず、仁者は憂えず、勇者は懼れず」**は自分を見失いそうなとき、**「今汝は画れり」**はへこたれそうなとき……といった具合に、弱った心に薬のように効く言葉が満載。「悩みの答えはすべて論語にある」と思って、勉強してください。

　ふたつ目は、老荘思想の書、『**老子**』。簡単に言うと、「世俗的な常識や価値観から自由になって、あるがままの自分で無為

自然に生きていきましょう。それが満ち足りた人生というものですよ」という教えです。

　老子の言葉はともすれば「仙人じゃあるまいし」と反発を買うところがあって、若いころに読んでもあまりピンとこないかもしれません。でも50歳を過ぎるころから、じわじわと心にしみてくるものです。

　以上はほんの一例。古典を学ぶときの入口として、参考にしていただければと思います。

いますぐやってみよう！

　上記以外にも『福音書（新約聖書）』や『幸福論』（アラン）、『菜根譚』（洪自誠）、『言志四録』（佐藤一斎）、『養生訓』（貝原益軒）など、"名言のつまみ食い"が楽しい古典はたくさんあります。興味のある本を読み、自分の心に響いた名言を集めて「名言ノート」をつくってみましょう。

54 | 文学

「小説を読むのが好き」という人は多いでしょう。でも「それって、勉強?」という気持ちもあるかと思います。

　たしかにストーリーを楽しみ、「あー、おもしろかった」というだけでは、"勉強した感"は小さいかもしれません。

　しかし「娯楽のための読書」であっても、それはそれでいいんです。小説からだって学ぶことは多いし、未知の世界を探訪したり、ふつうに暮らしている限り接点を持ちようのないことを疑似体験できたりなど、十分に知的な時間を過ごせます。

　そもそも**「楽しくなければ、勉強ではない」**。小説を楽しむことも立派な勉強です。

　ただ"勉強した感"をより強く持ちたいのなら、いい勉強法があります。それは、**「評論をつるはしにして、小説を深く掘り下げながら読む」**というものです。

　現代小説は別にして、「名著」と呼ばれる文学作品には必ずと言っていいほど評論が出版されています。それを読めば、表現のどこが優れているのか、作品の背景にどんな意図が隠されているのかなどを知ることができます。ガイド付きで小説を読む感じですね。

　たとえばドストエフスキーの『罪と罰』は、亀山郁夫さんや

江川卓さんなど、ロシア文学研究家による多くの評論が出ています。なかでもおすすめは、江川さんの『謎とき『罪と罰』』。これを読むと、

「主人公ラスコーリニコフのフルネームは、ロシア語の綴りでイニシャルがPPPで、これを逆さに読むと『666』という悪魔の数字になるのか。この名前自体に、老婆殺しを犯すという彼の行為を予言する意味が隠されてるって？　いやぁ、深いなぁ」

などとわかって、おもしろさ倍増！　知的にして深い感動が得られます。

もうひとつ、「集中読み」という勉強法もあります。作家またはテーマを決めて、ダダダッと5、6冊続けて読むのです。

作家というのは自分の世界観を表現するために、さまざまなテーマやストーリーなどを設定して物語をつくるもの。同じ作家の本をたくさん読めば、それだけその世界観への理解が深まり、よりおもしろく読むことができます。

またテーマに注目すると、同じテーマでも作家によって描き方が異なるところがおもしろい。テーマに関する理解の幅が広がります。それがひとつの問題をさまざまな視点から考えるトレーニングにつながり、ひいては豊かな発想力・創造力を養うことにもつながるでしょう。

いますぐやってみよう！

たとえば「太宰ウィーク」とか「ゲーテ月間」などと銘打って、同じ作家の本を「集中読み」しましょう。それにより得られたその作家の世界観を600字以内の文章にまとめてください。

55 | 歴史

　年齢を重ねるにつれて、歴史、とりわけ日本史への興味が増す方が多いようにお見受けします。とりわけ日本史については、
「日本の歴史も知らないようでは、日本人として恥ずかしい」
という気持ちが働く部分もあるでしょう。

　それに歴史小説には、「一度足を突っこむと、どこまでもずぶずぶと深みにはまっていく」、そんな魅力もあります。

　そういった側面も含めて、日本史は「大人の勉強」の必須とも言える教養科目でしょう。

　歴史小説を愛読するにせよ、教養につなげることを意識すると、より勉強感が高くなります。

　たとえば司馬遼太郎さんの小説を読みまくって、氏の形成した「司馬史観」とも言うべき独自の歴史観を入口にする、という方法があります。

　司馬さんは大量の歴史小説に加えて「日本とは、日本人とは何か」を問うエッセイなどを書いていて、単に「全作制覇」する勢いで読むだけでも楽しいし、勉強になるものです。

　もう一歩踏みこんで、作品に描かれた人物に関する評伝や、歴史的事件にまつわる解説書、小説の舞台となった場所の地理・郷土史に関する本などへと、勉強の幅を広げるのです。

みなさん、司馬作品は何冊か読んだことがあると思いますが、"司馬世界"にどっぷりはまって勉強するのもいいものです。

　坂本竜馬を幕末の英雄にまで引き上げた『**竜馬がゆく**』、一介の油売り・斎藤道三が知謀・悪謀の限りを尽して美濃国を掠め取る『**国盗り物語**』、新撰組副長・土方歳三の生涯を描いた『**燃えよ剣**』、戊辰・北越戦争で新政府軍と熾烈な戦いをした長岡藩家老・河井継之助が主人公の『**峠**』、吉田松陰と高杉晋作、井上多聞ら門下生らが活躍する『**世に棲む日日**』、西郷隆盛が征韓論を主唱して以後の激動の歴史を描いた『**翔ぶが如く**』、秋山好古・秋山真之・正岡子規ら伊予松山出身の３人を軸に明治日本を語った『**坂の上の雲**』など、司馬作品は大作・力作揃い。

「史実を別の本で調べる」という寄り道をしながらの勉強は、「終わるまで死にたくない」と思えるくらい楽しいでしょう。

　また日本史に関しては、テレビの教養番組にも豊富なラインアップがあります。

　NHKのBSプレミアムで放送している『英雄たちの選択』は私も出演したことがありますが、よい番組です。MCの磯田道史さんは本もたくさん出していて、『武士の家計簿』や『殿、利息でござる！』などの映画の原作になったものもあって、非常に読みやすくおもしろいものばかりです。

「磯田道史さん経由で日本史を学ぶ」のもひとつの方法でしょう。日本史に限らず、自分に合っていて、間違いのない先生を選ぶ、それが「大人の勉強」というものです。

56 芸 術

　絵画・彫刻・工芸・建築・音楽・舞踊……芸術を鑑賞することは、人生を豊かにする趣味の代表格です。

　展覧会や舞台に行くと、観客席はほぼシニアの人たちでいっぱい。すばらしいことだと思います。

　しかしそういう人たちが、心から芸術を楽しんでいるかと言うと、ちょっと心許ないものがあります。何の知識もないままに、芸術と向き合っている人が相当数いると思うからです。

　もちろん前知識なく作品に触れ、心が動かされたことをきっかけに、その芸術への興味が喚起されることはあります。

　それはそれでいいのですが、できれば予習をしたほうがいい、というのが私の考えです。なぜなら勉強してある程度の知識を蓄えておくと、作品の"見え方"がまったく違ってくるからです。

　それは、テレビ東京の『美の巨人たち』(現在は『新美の巨人たち』)という教養番組を見ると、よくわかります。最初に「今日の一枚」を見せてから、画家の思いや境遇、交遊関係など、その背景にある秘密について謎解きをする形で番組が進行。最後にもう一度、同じ絵が映し出されるのですが、最初に見たときよりも深い感動が得られるのです。

　おそらく絵にまつわるさまざまな知識が蓄えられた分、作品の

魅力がより強く心に迫ってくるのでしょう。

　だから私は、絵画だけではなく芸術全般、対面する前に本を読んだり、テレビの教養番組を見たりしておくことをおすすめします。関連する知識を得ることによって、芸術に対する感性が自然と育ち、現実に触れたときの感動がぐっと深まります。

　ここで3冊ほど、芸術関連のおすすめ図書を紹介しましょう。

　1冊目は『**シスター・ウェンディの名画物語―― はじめて出会う西洋絵画史**』（ウェンディ・ベケット／千足伸行訳）。西洋の絵画の流れをたどりながら、450点の名画をエピソードとともに紹介しています。「一家に1冊」備えたい名著です。

　2冊目は、BS日テレの人気アートバラエティ『**ぶらぶら美術・博物館**』の公式イヤーブック。番組でわかるように、山田五郎さんは美術をワクワク解説してくれる人。彼がにこにこしながら話しているのを聞くと、「美術っていいもんだな」と改めて思います。山田さんには『**知識ゼロからの西洋絵画／日本絵画**』など、入門書の著作もあり、これから学ぶ人にとっていいテキストになります。

　3冊目は、能の大成者である世阿弥の『**花伝書（風姿花伝）**』。父の観阿弥が自身の経験の精髄を長男・世阿弥に口述したものに、世阿弥の解釈が加えられています。人生の本質を能の世界に凝縮しつつ、一族が能という芸術をもって世を生き抜くための「秘伝」としての上達論が展開されています。合わせて世阿弥が芸道論を説く『**花鏡**』を読むといいでしょう。日本人なら基本的素養として、能のよさを知っておきたいところですよね。

57 ┃ ノンフィクション

　人間ひとりが経験できることはたかが知れています。でも本を読めば、どうでしょう?

　確実に「経験知」が増えます。

　実体験でなくとも、バーチャルな経験であってもいい。活字を通して、多種多様な人がいて、さまざまな出来事が起こる"現場"に身を置き、そこで展開される現実を見聞きし、いろんなことを考える。

　そういう勉強が経験知を増やし、想像力を磨き上げていくのです。

　どんな本にもそのよさがありますが、とりわけノンフィクションはその種の勉強に向いています。虚構をまじえず、「事実」だけが書かれているからです。

　では、どんな本を選べばよいのか。

　考え方としてひとつあるのは、「いまの自分、もしくはいまの時代にはなかなか経験できないこと」をテーマにした本を読むことです。

　たとえばヴィクトール・E・フランクルの『夜と霧』。自らユダヤ人と名乗り出て、アウシュヴィッツに囚われたフランクルが、強制収容所の限界状態を心理学者の視点から記録したノンフィ

クションです。少々"平和ボケ"感のある現代人には、「なかなか」どころか「ほぼ絶対に」経験できないことです。

といっても大昔ではなく、まだ1世紀と経たない、ほんの約80年前の出来事。

大きく括れば、いまなお生々しい現代の話なのです。私たちは戦争を知らない世代だからこそ、「戦争は二度と起こしてはいけない」ことをリアルに学ばなければいけない。そのためのテキストともなりえます。この本を読むと、

「人間は同じ人間に対して、こんなにも残酷なことができるのか」

「300万人のユダヤ人が虐殺されたなかで、フランクルを含めて生還できた人の心の根本には、過酷な日々を送りながらもなお生への希望があったのか」

など、衝撃と驚愕を禁じ得ません。ちなみに本書は、私が人生で一番衝撃を受けたノンフィクションです。

あと"戦争つながり"で言うと、『望郷と海』も読んでおくべき1冊です。

著者の石原吉郎は、敗戦時にソ連に抑留され、8年におよぶシベリア収容所生活を経て奇跡の生還を遂げた人物。『夜と霧』と合わせて読んでください。

ほかにも、戦争で亡くなった学徒兵たちの手記をまとめた『きけ わだつみのこえ』（日本戦没学生記念会編）や、徴兵されても勉強を続けた学徒の遺稿集『わがいのち月明に燃ゆ』（林尹夫）、『いしぶみ—広島二中一年生全滅の記録』などもおすすめです。

また世に「成功者」と称えられる人物の自伝や評伝を選ぶ、というのもいいでしょう。

　彼ら偉人・大物が何を考え、どう行動し、世のため人のために尽したのか。その「頭の中身」と「足跡」を学ぶことは、あと数10年の人生をいかに生きるべきかを考えるうえでとても刺激的です。

　おすすめ図書の筆頭は『**福翁自伝**』。

　現在の一万円札でお馴染みの福沢諭吉の自伝です。慶應義塾の創始者である福沢は、卓越した教育者であるとともに、現代に継承されている多くのビジネスモデルを指南したマルチ経済人でもあります。

　その業績から多くを学べると同時に、人物としての魅力を浮き彫りにするエピソードが満載。

　毎日を明るく、常に上機嫌に、飄々と生きる様子が、軽妙な語り口から伝わってきて、非常におもしろい読み物になっています。

　ちなみに次代の"一万円札の顔"になる渋沢栄一についても、いまのうちに勉強しておきたいところ。自伝ではないけれど、論語でビジネスをやってみせる手腕を書いた『**論語と算盤**』は必読です。

　あと自伝の"洋もの"では、何と言っても『**カーネギー自伝**』と『**フランクリン自伝**』がピカイチでしょう。

　前者は、「鉄鋼王」とも呼ばれたアンドリュー・カーネギー

の生涯。

貧しい織物職人の家に生れた彼が、鉄鋼ビジネスで成功するに至ったプロセスを読むと、それを実現できた理由がよくわかります。

慈善活動家としての側面も見習いたいところ。「金持ちのまま死ぬのは恥である」と言って、私財を投じて大学やホール、図書館などを建設した生き方は「すばらしい！」のひとことに尽きます。

後者は、アメリカの資本主義を育てたフランクリンの自伝。

驚くほどたくさんの事業に取り組んだフランクリンの生き方で注目するべきは、「日常のごく当たり前のことを当たり前にやる」、それを習慣化することで成功への道を開いたことです。

大物経営者の本は、まさによりどりみどり。

『**俺の考え**』（本田宗一郎）、『**日本電産 永守イズムの挑戦**』（永守重信）、『**稲盛和夫のガキの自叙伝——私の履歴書**』（稲盛和夫）『**松下幸之助 成功の全言365**』（松下幸之助）等々。

興味のある人物の自伝を探して、読んでみてください。

いますぐやってみよう！

フランクリンは「一人息子に、自分の生涯を知って学んでもらいたい」という気持ちから、自伝を書いたそうです。家族に読んでもらうかどうかは別にして、試しに自伝を書いてみましょう。

来し方を振り返りつつ少しずつ、エッセイ風に書き溜めていくのも楽しいもの。人生に張り合いが出ますよ、きっと。

一 般 教 養

58 | 理 科 系

　科学・化学・物理・生物・地学……理科系の科目が苦手な"文系人間"はかなりの数に上るでしょう。

　そこを考慮して、たとえば『文系のための数学』のような本が出ていますが、残念ながら、多くはタイトル通りになっていません。エッセイ風にわかりやすく書かれているのは、最初のほうだけ。突如、数式がバーン！と出てきて、あとはもう数式の嵐、という感じの本がほとんどなんです。

　そういう本を選んでしまうと、理科系嫌いがますますひどくなっていくだけなので、どんな本を選ぶかが非常に重要な要素です。幸い文化系の人は「本を読む」ことができます。

　言い換えればそれは、**「本を読む力さえあれば、知識を獲得するチャンスがあらゆる領域に開かれている」**ということ。「文系最強説」なんて見方もあるくらいです。

　臆せずに、"理科読"に挑戦しましょう。

　たとえば宇宙に関する本。「私たち人間はなぜ存在するのか」「宇宙とは何なのか」といった疑問は、誰しも持っていますよね？　その答えがほんのちょっとでも理解できたら、生きた甲斐があるというものです。

　この宇宙の分野が、私はけっこう好き。書かれていることのす

べてが理解できるわけではなく、むしろ「わからなさがたまらなくいい」と、おもしろがって読んでいます。『**ホーキング、宇宙と人間を語る**』（スティーヴン・ホーキング）、『**宇宙は本当にひとつなのか**』（村山斉）、『**宇宙はわれわれの宇宙だけではなかった**』（佐藤勝彦）などがおすすめです。わからないところにぶつかったら、「はぁ、そうですか。先生がそう言われるなら、そうなんですね」などと言いながら読み進めてください。案外、うまくいきます。

　また遺伝子関連では、初版から30年以上経っても古くならない世界的ロングセラー『**利己的な遺伝子**』（リチャード・ドーキンス）は必読です。私たちの行動を決めているのが遺伝子である以上、どういう存在なのか、その基本はおさえておきたいではありませんか。「死後に遺せるもの」を考えるうえでも良書と言えます。

　このほか、数学なら『**数学は世界を解明できるか──カオスと予定調和**』（丹羽敏雄）、『**世にも美しい数学入門**』（藤原正彦・小川洋子）など、大脳生理学なら『**進化しすぎた脳**』（池谷裕二）もおもしろいかと思います。

いますぐやってみよう！

　私は子どものころ、『化学のドレミファ』（米山正信）という本で化学に馴染みました。ネットの「理科読」などを見て、この手の子ども向けの本を数冊読んでみましょう。苦手意識が軽減されますよ。

59 ユーモア

　ユーモアのある人は、頭が柔軟な感じがしますよね。コミュニケーションスキルとしてもハイレベルです。年とともに頭が堅くなると、"嫌われ度"が増しますので、ユーモア感覚を磨くことは勉強のうち。周囲の好感度が上がるし、自分自身も楽しくなります。

　それもベタなダジャレではなく、教養があるからこそ言える知的で、ひねりのきいたユーモアを目指したいところです。

　お手本にしたいのは、江戸時代に栄えた「ユーモアセンスを楽しむ文化」です。十返舎一九の『**東海道中膝栗毛**』、式亭三馬の『**浮世床**』『**浮世風呂**』をはじめとする多くの戯作が人気を集めましたよね？　庶民がそういった作品のなかで繰り広げられる言い回しのおもしろさや掛詞・語呂合わせなどを楽しんだように、私たち現代人も江戸っ子のユーモアセンスを学ぼうではありませんか。

　古文ではあるけれど、いまの話し言葉とそう変わりはないので、とても読みやすいですよ。

　江戸っ子に負けじと、日常の会話にしゃれた表現を取り入れてみてください。人間関係が和むこと、請け合いです。

　また上質な海外ミステリーは、知的な会話を学ぶことができま

す。ミステリー自体は「勉強」というより、気晴らしというか、気楽に楽しめるもの。ストーリー展開がおもしろくて、読みやすいので、電車での移動時間中とか、ちょっとした空き時間などにパラパラと読むといいでしょう。

たとえば『**フロスト警部シリーズ**』（R・D・ウィングフィールド）は、傍若無人で仕事熱心、少々品のないフロスト警部が愛すべきキャラクターで、彼のウィットに富んだ放言に思わず笑みがこぼれます。

また『**図書館シリーズ**』（ジェフ・アボット）や、『**パンプルムース氏シリーズ**』（マイケル・ボンド）、『**スペンサーシリーズ**』（ロバート・B・パーカー）なども、ユーモア感覚あふれる会話が随所に散りばめられていて、参考になります。

あとテレビのトークバラエティは、なかなかのハイレベル。一定の知識や経験がなければ笑えないような"ひねり"をきかせたコメントが多く、話し方の参考になります。

ただ大笑いして見ているだけでもリラックスできる点ではいいけれど、ときには少し「勉強」を意識しましょう。

「この"ひねり"は使えるな」

「このネタはアレンジしてどこかで使えそうだ」

といった視点で楽しんでください。

このように「大人の勉強」で身につく教養はどれもユーモアのバックボーンになりうるものです。

勉強が軽やかな人生をつくる、というふうにも言えます。がんばりましょう！

東大勉強力をつける59の方法

○ 試験合格力をつける

○ 教養力で楽しむ

大人もこの方法で結果が出せる

東大勉強力

2020年2月15日　初版第1刷発行

著者	齋藤孝
発行者	笹田大治
発行所	株式会社興陽館
	〒113-0024
	東京都文京区西片1-17-8 KSビル
	TEL03-5840-7820
	FAX03-5840-7954
	http://www.koyokan.co.jp
カバーデザイン	小口翔平(tobufune)
本文デザイン	喜來詩織＋大城ひかり(tobufune)
本文イラスト	坂木浩子
校正	新名哲明
編集協力	千葉潤子
編集補助	中井裕子
編集人	本田道生
印刷	KOYOKAN,INC.
DTP	有限会社天龍社
製本	ナショナル製本協同組合

［ 興 陽 館 の 本 ］

なぜ心は病むのか いつも不安なひとの心理
アルフレッド・アドラー ／ 長谷川早苗 = 訳

なぜあなたはこれほど辛いのか?
ずっと心に不安を抱えている人は、
必ず「あまやかされた」子ども時代を送ってきている。
本書は数少ないアドラー原書の翻訳になります。

　本体価格1,600 円+税／ISBN978-4-87723-242-9 C0095

生きる意味 人生にとっていちばん大切なこと
アルフレッド・アドラー ／ 長谷川早苗 = 訳

生きることの意味とは何か? 子どもの心が正しく成長するために大事
なことは何か? 精神と肉体の健全な成長に必要なこととは?
アドラー心理学のすべてが語られる、
名著『Der Sinn des Lebens』の翻訳!

　本体価格1,700 円+税／ISBN978-4-87723-232-0 C0095

これからを生きるための無敵のお金の話
ひろゆき

2ちゃんねる、ニコニコ動画、4chan……の西村博之がおくる
「お金の不安」がいますぐ消える本!
生活費月5万円から最高年収数億円まで体験した
カリスマが伝える、お金とのつきあい方の極意。

　本体価格1,300 円+税／ISBN978-4-87723-237-5 C0095

秒で見抜くスナップジャッジメント
メンタリストDaiGo

つきあっていい人!ヤバいヤツ!サイコパス!
メンタリストDaiGoの超科学的メソッドで相手の
「外見」「会話」「持ちもの」を見れば、頭の中がすべてわかる!
人間関係、仕事、恋愛、ここから人生が変わる!

　本体価格1,400 円+税／ISBN978-4-87723-228-3 C0011

退職金がでない人の老後のお金の話
お金がなくてもお金がふえるマネー・プラン ／ 横山光昭

貯金ゼロ、年金しょぼしょぼ、退職金なしでも大丈夫! これならできる!
お金を知れば、お金はたまる!「退職金なし」な老後を迎える"あなた"
の不安を解消します!『はじめての人のための3000円投資生活』『年
収200万円からの貯金生活宣言』の横山光昭の本。

　本体価格1,200円+税／ISBN978-4-87723-248-1 C0033

すぐ使いこなせる知的な
大人の語彙1000

齋藤孝

1日1分、
圧倒的教養が身につく本。
試験に雑談に会話にメールに
ブログにSNSに、
大人の語彙力をしっかり
身につけて使いこなしましょう!

本書はクイズ形式でサクサクと簡単に「語彙力」がつきます。
面白くてためになる言葉の雑学も満載!
語彙が増えれば世界が豊かになります。伝える力がつきます。
この一冊で、あなたの会話や文章に知性と教養があふれ出します。

本体価格1,300円+税／ISBN978-4-87723-229-0 C0095

本 は 読 ん だ ら
す ぐ ア ウ ト プ ッ ト す る !

「 書 く 」「 話 す 」「 伝 え る 」力 が い っ き に つ く
55 の 読 書 の 技 法

齋藤孝

読みっぱなしじゃもったいない。
この「読書をアウトプットする55
の技法」で人生が変わる!
読書の達人、齋藤先生直伝!
1日10分コスパ最強のトクする
「本の読み方」集大成!

「本は"2割読み"飛ばし読みする」「本は順番通りに読まない」
「本は20分で読む」「読んだら人に伝える」「"ハウツー読み"をする」
読んでも忘れない!読むだけでスキルがあがる!
伝える力・書く力・話す力・語彙力・思考力・集中力・
指導力・プレゼン力……がつく読書術!

本体価格1,300円+税／ISBN978-4-87723-240-5 C0095

［ 興 陽 館 の 本 ］

孤独がきみを強くする
岡本太郎

群れるな。孤独を選べ。たったひとりの君に贈る、岡本太郎の生き方。
孤独はただの寂しさじゃない。
人間が強烈に生きるバネだ。孤独だからこそ、全人類と結びつき、
宇宙に向かってひらいていく。

本体価格1,000円+税／ISBN978-4-87723-195-8 C0095

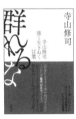

群れるな
寺山修司

「犬のごとく吠えろ。」
「引き金を引け、ことばは武器だ!」
「ふりむくな、ふりむくな、後ろに夢はない。」
これが生を見つめる「言葉の錬金術師」寺山修司が残した箴言録!

本体価格1,000 円+税／ISBN978-4-87723-218-4 C0095

「自分は自分」でうまくいく 最強の生き方
アーノルド・ベネット ／ 増田沙奈 = 訳

『自分の時間』の著者ベネットの名著、新訳で登場。
あなたの生き方は、自分自身を満足させているか?
あなたがあなた自身の先生になれ。最高の人生に終わりはない。
他人の期待にふりまわされるな。
数えきれない成功者・一流人に読み継がれた「最強哲学」!

本体価格1,000円+税／ISBN978-4-87723-209-2 C0030

自信 エマソンの『経験』と『自己信頼』新訳
ラルフ・ウォルドー・エマソン ／ 大間知知子 = 訳

自分のいる場所で、たとえ実際の仲間や環境がどれほどつまらなく
嫌気のさすものであっても、それを受け入れて、この一瞬一瞬を生きる。
宮沢賢治、ソローからアメリカ大統領のトランプ、オバマまで愛読し、
座右の銘とした魂のメッセージ。新訳!

本体価格 1,100円+税／ISBN978-4-87723-224-5 C0095

孤独は贅沢 ひとりの時間を愉しむ極意
ヘンリー・D・ソロー ／ 増田沙奈 = 訳 ／ 星野響 = 構成

静かな一人の時間が、自分を成長させる。
お金はいらない、モノもいらない、友達もいらない。
本当の豊かさは「孤独の時間」から──。
丸太小屋で自給自足の生活をしたソローの『森の生活』に学ぶ
「シンプルライフの極意」。

本体価格1,000円+税／ISBN978-4-87723-215-3 C0095